COLLECTION L'ESPACE CRITIQUE
DIRIGÉE PAR PAUL VIRILIO

Propagandes silencieuses

DU MÊME AUTEUR

Aux Éditions Galilée

GÉOPOLITIQUE DU CHAOS, 1997.
LA TYRANNIE DE LA COMMUNICATION, 1999.
PROPAGANDES SILENCIEUSES, 2000.

Chez d'autres éditeurs

LE CHEWING-GUM DES YEUX, Alain Moreau, 1981.
LA COMMUNICATION VICTIME DES MARCHANDS, La Découverte, 1989.
COMO NOS VENDEN LA MOTO (avec Noam Chomsky), Barcelone, Icaria, 1995.
NOUVEAUX POUVOIRS, NOUVEAUX MAÎTRES DU MONDE, Montréal, Fides, 1996.

Ignacio Ramonet

Propagandes silencieuses

Masses, télévision, cinéma

Galilée

Ce texte est une édition entièrement refondue, réactualisée et augmentée du livre *Le chewing-gum des yeux*, publié par l'auteur aux Éditions Alain Moreau en 1981.

© 2000, ÉDITIONS GALILÉE, 9, rue Linné, 75005 Paris.

ISBN 2-7186-0535-9   ISSN 0335-3095

Faux-semblants

Si l'homme parfois ne fermait pas souverainement les yeux,
Il finirait par ne plus voir ce qui vaut d'être regardé.

RENÉ CHAR

J'aime, du film, cette définition qu'en donne Marshall
McLuhan : « C'est une cité fantôme peuplée de faux-
semblants. » L'idée, banale, de tromperie, de leurre, de propagande s'y déploie en clair-obscur avec assez de poésie et
d'habileté pour que pointe, derrière les « *faux-semblants* », ce
qui se trouve délicatement en cause : sans doute, l'idéologie.

Les cités fantômes constituent parfois des villes miroirs, des
mirages fascinants en suspension dans l'*air du temps*. Ce livre
est un récit de voyages dans l'archipel de ces cités fantômes.
Avec le tâtonnement propre à ce genre d'explorations, il décrit
la configuration discrète des faux-semblants et leurs ambitions
vraisemblables. En d'autres termes, il voudrait indiquer comment, dans notre univers où quiconque s'accorde à reconnaître que les images (de cinéma, de télévision surtout)
prolifèrent, celles-ci croisent et reflètent parfois la vie. La vie
publique s'entend – autrement dit, l'*air du temps* – et donc,
notre vie quotidienne, personnelle, intime.

En particulier, il voudrait signaler (avec prudence) comment, sur des questions politiques graves ou à des moments
historiques forts, la télévision et le cinéma de masse ont élaboré des images spécifiques, ajustées à un dessein idéologique,
et destinées à accompagner, comme une prothèse symbolique,

la sensibilité collective. Soit en dramatisant les préoccupations dominantes, soit, au contraire, en euphorisant la conjoncture.

Les images des médias audiovisuels de masse sont des machines ressassantes où s'épanouissent et triomphent, superbes et bêtes, les *stéréotypes* : « Figures majeures, disait Roland Barthes, de l'idéologie. » L'angoisse que ces images suscitent naît de leur abondance même, de leur caractère véhément de marchandises, multipliées *ad nauseam* par les industries culturelles contre lesquelles nous sommes en garde, depuis les années 1930, grâce aux avertissements de Bertolt Brecht et des penseurs de l'école de Francfort comme Theodor Adorno, Walter Benjamin ou Herbert Marcuse.

La méfiance à l'égard de l'industrie culturelle et de sa propagande silencieuse repose fondamentalement sur trois craintes :

1) qu'elle réduise les êtres humains à l'état de *masse* et entrave la structuration d'individus émancipés, capables de discerner et de décider librement ;

2) qu'elle remplace, dans l'esprit des citoyens, la légitime aspiration à l'autonomie et à la prise de conscience par un conformisme et une passivité périlleusement régressifs ;

3) qu'elle accrédite, enfin, l'idée que les hommes souhaitent être fascinés, égarés et trompés dans l'espoir confus qu'une sorte de satisfaction hypnotique leur fera oublier, un instant, le monde absurde, cruel et tragique dans lequel ils vivent.

Cette méfiance et ces craintes trouvent plus que jamais une pleine justification aujourd'hui, à l'heure d'Internet et de la révolution numérique. Notamment à l'endroit des images de cinéma et de télévision. On n'ignore plus que les médias audiovisuels de masse sont contrôlés par des mégagroupes au sein desquels se concentrent les grandes firmes planétaires désormais liées à Internet, à la téléphonie, à l'informatique, à l'énergie, à la publicité, au sport, à la banque, etc. Les grandes firmes multimédiatiques actuelles résultent de concentrations ou de mégafusions comme celles d'America Online avec Time-Warner-CNN-EMI, ou de Vivendi avec Havas-Canal Plus et Universal-Seagram.

Ces groupes titanesques produisent non seulement des films et des programmes télévisés mais ils éditent aussi des livres, des magazines, des journaux, des CD, des cassettes vidéo, des vidéo-jeux, des DVD, etc. Ils ne se limitent plus à contrôler un unique média ou un simple secteur des industries culturelles. Ils proposent toutes sortes de services : ventes par correspondance, informations bancaires, bourse, météo, voyages, encyclopédies, etc. Et possèdent, à la fois, à travers le monde, des licences de téléphonie, des labels musicaux, des chaînes de télévision, des équipes de football ou de basketball, des studios cinématographiques, des portiques d'accès à Internet, des agences de publicité, sans parler des publications sur support papier, des maisons d'édition, des stations radios, etc. [1].

En raison de ses dimensions planétaires ainsi que des méthodes agressives de promotion, ce nouveau contexte, fruit des logiques de la « nouvelle économie », a radicalement modifié, dans leur structure intime, les films et les émissions télévisées. Les nouveaux et gigantesques conglomérats culturels disposent maintenant de moyens colossaux en matière de recherches et d'études de marché, ainsi qu'en équipements technologiques pour effets spéciaux, ce qui leur permet de fabriquer des images très exactement calibrées pour répondre à la demande la plus universelle.

La précision du marketing commercial permet de surcroît à ces géants des médias de fournir des produits culturels (en particulier un film ou un récit télévisé) ajustés aussi aux désirs dominants. Et de stimuler la demande ou de la maintenir au niveau optimum. (On sait que les États-Unis, qui ne produisent que 5 % des films réalisés dans le monde, perçoivent plus de 50 % de toutes les recettes cinématographiques mondiales.)

En intégrant aux récits filmés un certain nombre de critères culturels et en tenant compte de quelques mécanismes

---

1. Lire, à cet égard, Ignacio Ramonet, *La Tyrannie de la communication*, Paris, Galilée, 1999.

psychosociologiques précis, ces nouveaux mégaconglomérats culturels déterminent, à l'avance, le degré d'acceptation de leurs productions dans le marché mondial.

Ce type de production exige la subordination des créateurs, en particulier des scénaristes et des réalisateurs, aux choix et aux décisions des managers commerciaux. L'évaluation du produit, son « profil », se déterminent en amont selon des critères purement bureaucratiques, relevant des lois du marché, du commerce et du marketing. Cela suppose l'élimination impitoyable des créations les plus « fragiles », celles destinées à des groupes trop restreints de spectateurs.

De la sorte, la plupart des films de recherche formelle, lorsqu'ils parviennent sur un grand écran, rencontrent de plus en plus l'incompréhension, et même l'hostilité, d'un large public. Déformé par les lois rhétoriques du cinéma de masse, ce public se voit soudain confronté à un langage original et singulier, qu'il ne peut que percevoir comme abscons, incompréhensible, étrange.

Dans le système actuel, les œuvres filmiques trop originales ou trop personnelles ne sont point encouragées. En revanche, les nouveaux géants médiatiques stimulent les sensibilités moyennes qui demeurent attachées à des valeurs traditionnelles (éthiques, morales, narratives, rhétoriques, romanesques, dramaturgiques) indiscutées et ressassent à l'infini ce qui est, sans résistance, admis de tous.

Le contenu de ces films de masse s'édifie sur des thèmes d'intérêt général, ne relevant souvent, à proprement parler, d'aucune culture particulière. On ne peut pas ne pas remarquer que nombre des récents succès cinématographiques américains – *Mars attacks !*, de Tim Burton ; *Armageddon*, de Michael Bay ; *Men in Black*, de Barry Sonnenfield ; *Godzilla* de Roland Emmerich ; *Star Trek : Insurrection*, de Jonathan Frakes ; *eXistenZ*, de David Cronenberg ; *Mission impossible 2*, de James Woo ; *En pleine tempête*, de Wolfgang Petersen ; *The Hollow Man (L'Homme sans ombre)*, de Paul Verhoeven – reposent, dramaturgiquement, sur les mécanismes du thriller, de la peur ou sur une trame irréelle, fantastique ou de science-fiction. Leur forme et leur style appliquent strictement les recommandations d'une lisibilité maximale : clarté et simplicité, nul imprévu, linéarité sans heurts, conventions, clichés... Ces films diffèrent certes les uns des autres, mais ils obéissent constamment au même schéma et se soumettent à une identique structure. « La forme bâtarde de la culture de masse, disait Roland Barthes, est la répétition honteuse : on répète les contenus, les schèmes idéologiques, le gommage des contradictions, mais on varie les formes superficielles : toujours des livres, des émissions, des films nouveaux, des faits divers, mais toujours le même sens. »

À cet égard, la plupart des récits filmés contemporains reproduisent l'efficacité visuelle et narrative des *spots publicitaires*. Ceux-ci sont devenus, en quelque sorte, des lieux d'expérimentation sophistiqués pour la mise au point des produits de la plus haute technologie culturelle. Leur « modernité » est acceptée de tous, et fascine même les cinéastes les plus créatifs et les plus personnels. « Eisenstein, où est-il aujourd'hui ? » s'est interrogé, par exemple, Jean-Luc Godard, qui répond : « Il est dans les bas Dim ! »

Le style des spots (gros plans fugaces, montage crépitant, typage lourd, commentaires peaufinés, musique envahissante) recherche la communication immédiate et propose du sens à la plus grande vitesse. La plupart des spots se constituent d'ailleurs comme des *micro-fictions*. Ils obéissent aux lois du récit linéaire conventionnel, avec un début, un milieu et une fin, et proposent, presque toujours, en guise de contenu, le culte de la réussite dans une société compétitive, sacrifiant sans cesse à l'euphorie ludique et au mythe du succès.

L'écriture des spots, dense, efficiente, souvent drôle, imprègne l'ensemble des récits télévisés. Les séries américaines, en particulier, doivent prévoir des scansions régulières, des sortes de hoquets narratifs afin de faire place, deux ou trois fois par épisode de cinquante-deux minutes, à des rafales de spots publicitaires. Et, en comparaison avec le rythme des pubs, elles ne sauraient paraître lentes, fades ou molles.

Les spots accélèrent ainsi la vitesse générale du récit filmique. De proche en proche, ils déterminent le style des nar-
rations télévisées américaines, lesquelles à leur tour l'imposent
au monde entier. Car le modèle télévisuel américain reste largement dominant : les États-Unis exportent annuellement
plus de deux cent mille heures de programme, ce qui représente environ 75 % de l'ensemble des exportations mondiales
d'émissions télévisées.

L'imprégnation du style et du rythme spot atteint le cinéma
lui-même, et les films américains qui rencontrent à travers le
monde le plus grand succès public (*seuls* les films et les émissions télévisées américains, faut-il le rappeler, bénéficient
d'une diffusion planétaire) sont les fils naturels des réclames
télévisées et des séries à épisodes. Ainsi, dans la trame même
des images, se diffuse l'américanisation.

L'américanisation de nos esprits est tellement avancée que
la dénoncer apparaît, à certains, de plus en plus inacceptable.
Il faudrait, pour y renoncer, être prêt à s'amputer d'un grand
nombre de pratiques culturelles (vestimentaires, sportives,
ludiques, distractives, langagières, alimentaires) auxquelles
nous nous livrons depuis l'enfance et qui nous habitent en
permanence. Beaucoup de citoyens européens sont désormais
des sortes de « *transculturels* », des mixtes irréconciliables, possédant un esprit américain dans une peau d'Européen.

Le cinéma, on le sait, n'a pas peu contribué à cet état de
choses. Dès 1917, l'écrivain Upton Sinclair pouvait affirmer :
« Grâce au cinéma, le monde s'unifie, c'est-à-dire qu'il
s'américanise. » Et Marshall McLuhan, dans les années 1960,
précisait : « Quand vint le cinéma, la totalité du mode de vie
américain devint, à l'écran, une interminable publicité. Tout
ce que les acteurs et les actrices portaient, mangeaient ou utilisaient devenait une réclame comme on n'aurait jamais espéré
en inventer. »

Les moyens de l'américanisation par les images, depuis
l'essor des nouvelles technologies de l'information et de la
communication, sont devenus autrement redoutables. Les
satellites de diffusion directe, en particulier, favorisent infini-

14

ment l'expansion universelle des images émises à partir des États-Unis. Ils stimulent vigoureusement les appareils de violence symbolique auxquels de nombreuses cultures ne peuvent guère résister. Plus que jamais, il convient de méditer le célèbre avertissement lancé par l'essayiste américain Herbert I. Schiller : « Une nation dont les mass media sont dominés par l'étranger n'est pas une nation. »

L'américanisation, donc, pénètre en nous par les yeux. Avec la redoutable efficacité d'une propagande silencieuse. D'où l'urgence d'apprendre à nous méfier des images itératives, rabâchées, que le cinéma et la télévision nous donnent d'ordinaire à mastiquer, à ruminer, comme une sorte de sucrerie pour l'esprit ou un chewing-gum visuel. Diderot affirmait : « Je suis plus sûr de mon jugement que de mes yeux. » C'est avec une défiance semblable que nous avons parcouru, parfois avec émotion, les cités fantômes qui balisent ce livre.

Manipuler les masses

Qui ne sait que les loups doucereux,
De tous les loups sont les plus dangereux ?

CHARLES PERRAULT

Qu'est-ce qui a changé, en matière de manipulation des masses, depuis, disons, vingt ans ? Essentiellement deux choses : l'irruption d'Internet et la nouvelle offensive culturelle américaine.

Totalement inconnu il y a à peine dix ans, Internet est en passe de bouleverser non seulement le champ entier de la communication, mais aussi celui de l'économie. Et sans doute, de proche en proche, de vastes pans de nos sociétés[1]. « Internet, c'est la troisième révolution industrielle, n'hésite pas à affirmer l'historien François Caron, professeur émérite à la Sorbonne. Une révolution industrielle ce n'est pas simplement le développement d'une technologie de plus, c'est un bouleversement fondamental dans notre manière de produire et de consommer. On peut dire que le monde en a déjà connu deux. La première, qui s'est poursuivie jusqu'en 1840, est née en Angleterre avec l'invention de la machine à vapeur par James Watt en 1776 [...]. Avec la première centrale électrique ouverte en 1882 par Thomas Edison, c'est la deuxième révolution qui démarre aux États-Unis [...]. La troisième est celle

---

1. Lire Ignacio Ramonet (dir.), *Internet, el mundo que llega*, Madrid, Alianza editorial, 1998.

17

de l'électronique, qui a cheminé très progressivement avant d'envahir l'ensemble du système technique, et de déboucher sur l'informatique, la robotique et les réseaux tels qu'Internet [1]. »

Mais une technique, aussi efficace et sophistiquée soit-elle, n'est jamais neutre. Nul ne peut ignorer qu'elle arrive toujours équipée d'un programme de changement social. Et que des bouleversements technologiques dans les modes de communication, comme ceux qu'impose Internet, sont puissamment chargés d'idéologie.

Mégafusion

On en a désormais la preuve, depuis la mégafusion, annoncée dès le 10 janvier 2000, entre la firme America Online (AOL), leader mondial de l'accès à Internet, et le conglomérat Time-Warner-CNN-EMI. Ce dernier est le premier groupe de communication planétaire, et AOL, fournisseur d'accès au Web (qui possède aussi le logiciel de navigation Netscape), la plus importante entreprise de la galaxie Internet avec 22 millions d'abonnés payants. Leur fusion constitue un exemple des aberrations de ce qu'on appelle la « nouvelle économie » (l'activité des firmes spécialisées dans les nouvelles technologies de la communication, de l'information et de la génétique) tout au moins avant le mini-krach de l'indice Nasdaq d'avril 2000.

A priori, la différence entre ces deux entreprises aurait dû conduire Time-Warner à absorber AOL. Car Time-Warner est le géant des médias avec plus d'un milliard de téléspectateurs, grâce au contrôle de la chaîne d'informations CNN et de la chaîne cinéma HBO ; 13 millions d'abonnés à la télévision câblée, par l'intermédiaire de Time-Warner Cable, deuxième réseau câblé des États-Unis ; 120 millions d'abonnés à des revues et magazines dont *Time, People, Fortune, Life, Sports Illustrated* ; plus d'un milliard de livres vendus en 1998 par le biais de Book-of-the-Month Club, Time-Life et Warner

---

1. Lire l'entretien de François Caron avec Sabine Delanglade, *L'Express*, 27 avril 2000.

Books ; 5 700 films et 135 000 dessins animés détenus par la Warner Bros, l'un des piliers de Hollywood ; enfin, plus de 1 000 artistes sous contrat avec le Warner Music Group qui produit, entre autres, Madonna, Cher, Eric Clapton...

Par ailleurs, aussi bien en termes de chiffres d'affaires (Time-Warner : 26,6 milliards de dollars ; AOL : 5,2 milliards), que de bénéfices (Time-Warner : 1,2 milliard de dollars ; AOL : 0,5 milliard), ou de nombre de salariés (Time-Warner : 70 000 ; AOL : 12 000), la première l'emportait de manière écrasante sur la seconde.

Et cependant, comme on sait, c'est le contraire qui s'est produit. Grâce à une valorisation boursière bien supérieure, AOL et son patron Steve Case (165 milliards de dollars) ont pu racheter Time-Warner (111 milliards de dollars).

Avec cette fusion, Internet, jusqu'à présent relativement indépendant, tend à devenir un élément intégré dans le système médiatique. Et s'érige même en menace pour les médias traditionnels, dans la mesure où il constitue une plate-forme intégrant de plus en plus la télévision, le cinéma, l'édition, la musique, les jeux vidéo, l'information, les données boursières, le sport, la banque personnelle, la billetterie de spectacles ou de voyages, la messagerie électronique, la météorologie, la documentation...

Avec l'irruption du haut débit, Internet rapide, à hautes capacités, amènera dans les foyers des images, du son, des données, et même le téléphone. AOL-Time-Warner sera ainsi la première entreprise intégrée capable de procurer, en temps réel, vingt-quatre heures sur vingt-quatre et sept jours sur sept, des informations, des connaissances, des distractions, des loisirs, des services et toutes sortes de produits vendus en ligne.

Avec la fusion AOL-Time-Warner, la fonction commerciale des médias de masse se trouve formidablement renforcée. Vendre devient un objectif central. Internet prend ainsi, progressivement, la forme d'une galerie marchande, d'un immense centre commercial planétaire. Il transforme les mass media en machines à vendre des produits et des services.

Surveiller, annoncer, vendre

Les sociologues disent de la télévision qu'elle a trois fonctions : informer, éduquer et distraire. Et ce qu'ils critiquent essentiellement de la télévision, en tant que média de masse, c'est cette dernière fonction : distraire. C'est même l'objet principal de ce livre. La distraction pouvant devenir aliénation, crétinisation, abrutissement. Et conduire à la décérébralisation collective, à la domestication des âmes, au conditionnement des masses et à la manipulation des esprits.

Mais aujourd'hui, la crainte centrale c'est que, avec Internet, les trois principales fonctions de ce nouveau média cybernétique, pas encore dominant, soient devenues : surveiller, annoncer et vendre.

SURVEILLER, parce que chaque manipulation sur la Toile laisse une trace ; peu à peu l'internaute, à son insu, dessine son autoportrait en termes de centres d'intérêts (culturels, idéologiques, ludiques, consommatoires...). Et une fois ce portrait établi, il n'aura plus aucun secret pour les maîtres d'Internet qui sauront ce qu'il aime lire, par exemple, écouter, regarder, boire, manger, consommer, fréquenter, etc. Et pourront le manipuler à leur gré.

ANNONCER, parce que l'économie d'Internet est essentiellement de nature publicitaire. La culture de la gratuité de la Toile n'est possible que parce que des annonceurs assument les coûts du fonctionnement du système que celui-ci répercute sur les achats effectués par les internautes.

VENDRE, parce que tel est désormais l'objectif principal du média Internet. C'était déjà celui des médias traditionnels lorsqu'ils faisaient de la publicité (dans les journaux, à la radio ou à la télévision). Mais la différence capitale est qu'avec les autres médias on ne pouvait pas directement acheter. Si je vois dans un journal une publicité pour un produit ou un service qui m'intéresse, il ne m'est pas possible de l'acquérir immédiatement en me servant du journal. Je ne peux le faire que via un autre moyen de communication ou un autre intermédiaire : le téléphone, le fax, le courrier postal, un véhicule pour me rendre sur place... Alors qu'avec Internet, la même machine – l'ordinateur – qui me permet de « surfer sur le Net » et d'y prendre contact avec la publicité, me sert directement à choisir, à commander, à payer, bref, à acheter le produit ou le service en question.

Le prix de la gratuité

Ce qui est important également désormais, c'est le nombre de personnes qui fréquentent un média, ou le nombre d'internautes qui franchissent un portail d'accès à la Toile. Ce nombre de fidèles (payants ou pas) est considéré, à l'heure actuelle, comme la vraie richesse d'un média. Davantage que son contenu ou que son équipe. C'est une révolution copernicienne. Avant, les médias vendaient de l'information (ou de la distraction) à des citoyens. Maintenant, via Internet, ils vendent des consommateurs à des annonceurs. Et plus le nombre des consommateurs est élevé, plus sera élevé le tarif des annonces publicitaires... et la valeur boursière de l'entreprise médiatique.

Du coup, l'information peut être offerte gratuitement. Les médias, sur Internet, l'offrent en quelque sorte comme produit d'appel : il y a, à l'heure actuelle, plus de 3 000 journaux en accès libre et gratuit sur Internet. Sans compter les stations de radio et les chaînes de télévision.

Et si l'information est offerte gratuitement, pourquoi les patrons des médias devraient-ils dépenser énormément pour se la procurer ? Ils ne veulent plus payer trop cher un produit qu'ils vont ensuite brader ou proposer pour rien. C'est pourquoi ils se contentent de plus en plus d'une information au rabais dont la qualité n'a cessé de se dégrader, partout, au cours des dernières années. D'autres facteurs expliquent encore ce déficit de qualité : en particulier, la spectacularisation et la recherche du sensationnel à tout prix qui peuvent conduire à des aberrations, à des mensonges et à des trucages. Favorisant de nouvelles manipulations psychologiques[1].

---

1. Pour plus de précisions à cet égard, lire Ignacio Ramonet, *La Tyrannie de la communication, op. cit.*

Les médias désormais ne s'adressent pas à nous pour nous transmettre des informations objectives, mais pour conquérir notre esprit. Comme le disait déjà Goebbels : « Nous ne parlons pas pour dire quelque chose, mais pour obtenir un certain effet. »

Persuasions clandestines

Les colonisés et leurs oppresseurs savent que la relation de domination n'est pas seulement fondée sur la suprématie de la force. Passé le temps de la conquête, sonne l'heure du contrôle des esprits. Et on domine d'autant mieux que le dominé en demeure inconscient. D'où l'importance de la persuasion clandestine et de la propagande secrète. Car, sur le long terme, pour tout empire désirant durer, le grand enjeu consiste à domestiquer les âmes, à les rendre dociles, puis à les asservir.

Dès les années 1940, Aldous Huxley pressentait qu'« un État totalitaire vraiment "efficient" serait celui dans lequel le tout-puissant comité exécutif des chefs politiques et leur armée de directeurs auraient la haute main sur une population d'esclaves qu'il serait inutile de contraindre, parce qu'ils auraient l'amour de leur servitude. La leur faire aimer – telle est la tâche assignée dans les États totalitaires d'aujourd'hui aux ministères de la propagande, aux rédacteurs en chef de journaux et aux maîtres d'école[1] ».

Maximiser le pouvoir en subordonnant furtivement les groupes et les individus, tel est le dessein de toute propagande. « La propagande, affirme le politologue américain Lasswell, est l'expression d'opinions ou d'actions effectuées délibérément par des individus ou des groupes en vue d'influencer l'opinion ou l'action d'autres individus ou groupes, avec référence à des fins prédéterminées et au moyen de manipulations psychologiques[2]. »

---

1. Aldous Huxley, nouvelle préface au *Meilleur des mondes*, Paris, Pockett Jeunesse, 1998.
2. Cité par Jacques Ellul, *Propagandes*, Paris, Economica, 1990.

Dans les sociétés contemporaines « libres et démocratiques », ces manipulations psychologiques doivent viser, *en même temps*, l'individu et la masse. Elles sont donc, forcément, sophistiquées et hautement scientifiques. « C'est à partir de la connaissance de l'être humain, de ses tendances, de ses désirs, de ses besoins, de ses mécanismes psychiques, de ses automatismes, et aussi bien de la psychologie sociale que de la psychologie des profondeurs, signale Jacques Ellul, que le propagandiste organise peu à peu ses techniques. C'est à partir de la connaissance des groupes, de leurs lois de formation et de déformation, des influences de masse et des limites du milieu que le propagandiste modèle ses moyens d'action[1]. »

Dès les années 1950 et 1960, c'est aux États-Unis que, pour la première fois dans une « société démocratique libre », a été mise au point l'orchestration de tous les modernes moyens techniques d'intimidation mentale : télévision, radio, presse, cinéma, publicité, affiches... Aucun aspect de la vie intellectuelle, émotive ou sentimentale ne fut laissé en repos : l'homme était cerné de toutes parts. Ce qui ne tarda pas à être dénoncé par des intellectuels comme Herbert Marcuse qui, ayant connu la puissance de propagande du nazisme, se révolta contre « la puissance répressive de la société de consommation ». « L'asservissement du consommateur à l'escalade des besoins et des marchandises, écrit Marcuse, et la création continuelle de besoins nouveaux exacerbent les contradictions à l'intérieur du système et nécessitent inéluctablement l'intensification des contrôles répressifs. [...] Cela se traduit par la production accélérée d'un vaste déchet, l'obsolescence planifiée, les *gadgets*, et la marchandise de destruction. Les luxes deviennent des nécessités que l'individu – homme ou femme – doit acquérir sous peine de perdre son "statut" sur le marché compétitif, au travail et dans les loisirs. Cela à son tour aboutit, pour lui, à la perpétuation d'une existence vouée tout entière aux performances aliénées, déshumanisées, à l'obligation d'obtenir un pouvoir d'achat adéquat en

---

1. *Propagandes, op. cit.*

trouvant et en conservant un emploi qui reproduit l'asservissement et le système d'asservissement[1]. »

Néohégémonie

Jadis génocideurs (contre les Indiens), esclavagistes (contre les Noirs d'Afrique), expansionnistes (contre les Mexicains) et colonialistes (contre les Portoricains), les États-Unis d'Amérique, sans doute lassés par leur excessive brutalité, aspirent désormais à s'installer pacifiquement dans les têtes de tous les non-Américains, et à séduire leurs âmes.

C'est en Europe occidentale que ce projet impérial rencontre curieusement le moins de résistance. Pour des raisons politiques d'abord : les États-Unis sont issus de la première révolution démocratique, celle de 1776, qui précéda de treize ans la Révolution française. Et pour des raisons aussi historiques : aucun État d'Europe – à l'exception de l'Angleterre au XVIIIe siècle et de l'Espagne à la fin du XIXe – n'a eu l'Amérique pour ennemi dans un affrontement bilatéral. Au contraire, « pays de la liberté », celui-ci a accueilli des millions de réfugiés et d'exilés européens, et, à l'occasion des deux guerres mondiales (1914-1918 ; 1939-1945), s'est comporté en ami du Vieux Continent en intervenant, de manière décisive, en faveur des libertés contre des puissances militaristes ou fascistes.

En 1989-1991, l'Amérique a gagné la guerre froide par KO, face à l'Union soviétique, entraînant la chute du mur de Berlin et, cahin-caha, la démocratisation des régimes d'Europe centrale et orientale.

Au plan géopolitique, les États-Unis se retrouvent placés dans une situation d'hégémonie que nul pays n'a jamais connue[2]. Militairement, leur force est écrasante. Ils sont non

---

1. Herbert Marcuse, « Un nouvel ordre », *Le Monde diplomatique*, juillet 1976.

2. Lire sur cet aspect, Ignacio Ramonet, *Géopolitique du chaos*, Paris, Galilée, 1998, et, plus précisément, le chapitre intitulé « La néohégémonie américaine ».

seulement la première puissance nucléaire et spatiale, mais également maritime. Ils sont les seuls à posséder une flotte de guerre dans chacun des océans et des principales mers du globe, et disposent de bases militaires, de ravitaillement et d'écoutes dans tous les continents.

Le Pentagone dépense, au titre de la recherche militaire, environ 31 milliards de dollars, soit le budget total de la défense française. Il possède, en matière d'armement, plusieurs générations d'avance. Ses forces armées (1,4 million de soldats) peuvent tout identifier, tout suivre et tout entendre, dans n'importe quel milieu, en l'air, sur terre ou sous l'eau. Elles peuvent presque tout, voir sans être vues, et, sans être elles-mêmes menacées, détruire une cible, de jour comme de nuit, avec une précision extrême [1].

Washington dispose, en outre, d'une impressionnante gamme d'agences de renseignement – Central Intelligence Agency (CIA), National Security Agency (NSA), National Reconnaissance Office (NRO), Defense Intelligence Agency (DIA) – employant plus de 100 000 personnes et dont le budget dépasse les 23 milliards de dollars. Ses espions sont actifs partout, tout le temps. Chez leurs amis comme chez leurs ennemis. Ils volent non seulement des secrets diplomatiques et militaires, mais surtout, depuis 1989, des secrets industriels, technologiques et scientifiques.

Sur le front des affaires étrangères, l'*hyperpuissance* américaine régente la politique internationale, a l'œil sur les crises dans tous les continents. Car elle a des intérêts partout et reste la seule à agir sur l'ensemble de l'échiquier planétaire : du Proche-Orient au Kosovo, de Timor à Taïwan, du Pakistan au Caucase, du Congo à l'Angola, de Cuba à la Colombie.

Le poids de Washington est décisif également au sein des instances multilatérales dont les options déterminent la marche du monde : Organisation des Nations unies (ONU), G8 (groupe des huit pays les plus industrialisés), Fonds monétaire international (FMI), Banque mondiale, Organisation

---

1. *Le Nouvel Observateur*, 3 juin 1999.

mondiale du commerce (OMC), Organisation de coopération
et de développement économiques (OCDE), Organisation du
traité de l'Atlantique Nord (OTAN), etc.

Première cyberpuissance

Mais la prépondérance d'un empire, dans le contexte
contemporain, ne se mesurant plus aux seuls atouts militaires et
diplomatiques, l'Amérique s'est assurée aussi de la domination
scientifique. Elle aspire comme une pompe, chaque année, des
dizaines de milliers de cerveaux (étudiants, professeurs, chercheurs, diplômés) du reste du monde qui viennent dans ses universités, ses laboratoires ou ses entreprises. Cela lui a permis, ces
dix dernières années, de rafler 19 prix Nobel (sur 26) en physique, 17 (sur 24) en médecine, et 13 (sur 22) en chimie.

Dans le contrôle des réseaux économiques, les États-Unis
exercent également une indiscutable suprématie. Leur produit
intérieur brut, en 1999 (8 683,4 milliards de dollars) représente plus de six fois celui de la France (1 346,6 milliards de
dollars). Le dollar reste la devise suprême ; dans 83 % des
transactions de devises, il est l'une des monnaies concernées[1].
La Bourse de New York constitue le baromètre financier
universel et ses hoquets, comme ceux de l'indice Nasdaq en
avril 2000, font trembler la planète. Enfin, la force de frappe
des fonds de pensions américains – mastodontes régnant sur
les marchés financiers – intimide tous les acteurs de la sphère
économique mondiale.

L'Amérique est aussi la première cyberpuissance. Elle maîtrise les innovations technologiques, les industries numériques, les extensions et les projections (matérielles et
immatérielles) de tous ordres. C'est le pays du Web, des auto-
routes de la communication, de la « nouvelle économie », des
géants de l'informatique (Microsoft, IBM, Intel) et des cham-
pions d'Internet (Yahoo, Amazon, America Online).

1. Voir Peter Gowan, « Le régime dollar-Wall Street d'hégémonie
mondiale », *Actuel Marx, n° 27*, consacré à « L'hégémonie américaine »,
Paris, PUF, premier semestre 2000.

Pourquoi une si écrasante suprématie militaire, diplomatique, économique et technologique ne suscite-t-elle pas
davantage de critiques ou de résistances ? Parce que l'Amérique exerce, de surcroît, une hégémonie dans le champ
culturel et idéologique. Elle détient la maîtrise du symbolique
qui lui donne accès à ce que Max Weber nomme la « domination charismatique ».

Délicieux despotisme
Dans maints domaines, l'Amérique s'est assurée le contrôle
du vocabulaire, des concepts et du sens. Elle oblige à énoncer
les problèmes qu'elle crée avec les mots qu'elle-même propose.
Elle fournit les codes permettant de déchiffrer les énigmes
qu'elle-même impose. Et dispose à cet effet de quantité d'institutions de recherche et de boîtes à idées (*think tanks*), auxquelles collaborent des milliers d'analystes et d'experts. Qui
produisent de l'information sur des questions juridiques,
sociales et économiques dans une perspective favorable aux
thèses néolibérales, à la mondialisation et aux milieux d'affaires.
Leurs travaux, généreusement financés, sont médiatisés et diffusés à l'échelle mondiale[1].
Les principaux fabricants de cette propagande secrète – le
Manhattan Institute, la Brookings Institution, la Heritage
Foundation, l'American Enterprise Institute, le Cato Institute – ne lésinent pas à inviter massivement, à leurs séminaires
et débats, journalistes, professeurs, fonctionnaires, dirigeants,
victimes consentantes de cette persuasion clandestine qui
vont ensuite la diffuser partout.
En s'appuyant sur le pouvoir de l'information, du savoir
et des technologies, les États-Unis répandent la « bonne
parole », et établissent ainsi, avec la passive complicité des
dominés, ce qu'on pourrait appeler une oppression affable, ou
un délicieux despotisme. Surtout quand ce pouvoir doucereux

---

1. Lire Herbert I. Schiller, « La fabrique des maîtres. Décervelage à
l'américaine », *Le Monde diplomatique*, août 1998.

27

se double d'un contrôle des industries culturelles et de la domination de notre imaginaire.

Dominer l'imaginaire

L'Amérique peuple nos rêves d'une foule de héros médiatisés. Chevaux de Troie de l'oppresseur dans l'intimité de nos cerveaux. En 1999, par exemple, année des 9 millions d'entrées d'*Astérix*, les quelque 600 films français diffusés dans les salles ont réuni moins de 30 % des spectateurs. Les autres étant allé, dans leur majorité, voir des films produits par Hollywood. Or on sait que, au-dessous de la barre des 25 % de spectateurs, une production nationale cesse d'exister.

Selon l'Observatoire européen de l'audiovisuel [1], les échanges de programmes, audiovisuels et cinématographiques, entre l'Union européenne et l'Amérique du Nord se soldent, pour les Européens, par un déficit qui a atteint, en 1998, quelque 6,6 milliards de dollars (5,89 milliards en 1997 ; 5,64 milliards en 1996). Les films américains ont représenté, à l'exportation vers l'Europe, près de 1,5 milliard de dollars, et les programmes des chaînes de télévision américaines plus de 2,8 milliards de dollars, un peu plus que la vidéo et le DVD (2,38 milliards de dollars). En face, dans la balance, les exportations anglaises vers les États-Unis (films et télévision) ont à peine atteint 550 millions de dollars et celles des quatorze autres pays de l'Union (dont la France), moins de 156 millions… Soit, au total, quelque 706 millions de dollars, somme qui, comparée au volume des importations en provenance des États-Unis, représente à peine le dixième !

Alors qu'elle n'achète, par exemple, que 1 % de films à l'étranger, l'Amérique inonde le monde des productions de Hollywood. « Si les films américains réalisaient 33 % de leurs recettes à l'étranger en 1982, écrit Carlos Pardo, ce taux atteint 55 % en 1997 et devrait être de 80 % en l'an 2000. De surcroît, selon l'observatoire de la diffusion, trois fois plus de

---

1. Lire Nicole Vulser, « Les États-Unis renforcent leur domination sur l'audiovisuel européen », *Le Monde*, 7 septembre 2000.

films américains bénéficient en France de sorties massives. Un long-métrage hollywoodien dispose, en moyenne, de deux fois plus d'écrans qu'un film français[1]. »

Et cette situation de domination cinématographique américaine s'est accentuée avec l'essor de la télévision numérique. En France notamment, la « guerre des bouquets » que se livrent Canal Satelllite et TPS a énormément favorisé la pénétration des films américains. Cette guerre « a commencé dès leur création, en 1997. La première bataille a été livrée sur le terrain des produits d'appel jugés les plus forts, c'est-à-dire les films américains. Afin d'alimenter les grilles de programmes des nouvelles chaînes, des négociations ont été engagées avec des majors hollywoodiennes. Premier coup dur pour TPS : Canal remporte la mise en se liant, en exclusivité, à cinq studios américains – Fox, Columbia, Disney, Warner, MCA/Universal –, alors que TPS ne s'accorde, dans un premier temps, qu'avec Paramount et Metro Goldwyn Mayer (MGM). La suprématie de TF1 est rapidement contestée au sein de TPS. Outre le service public (France Télévision avec 8 %, France Télécom avec 17 %), les autres actionnaires de TPS n'ont, il est vrai, pas l'intention de rester passifs – ils ont pour nom Suez, Lyonnaise des eaux et M6 (25 % chacun), le premier étant, par ailleurs, l'un des principaux actionnaires de M6[2]. »

Et cette situation pourrait s'aggraver avec l'arrivée de nouvelles chaînes numériques pouvant être captées par 80 % des téléspectateurs avec une simple antenne râteau traditionnelle, sans parabole (numérique hertzien). Quarante chaînes nouvelles, essentiellement en clair et le plus souvent gratuites, devraient faire irruption dans le paysage audiovisuel en France dès 2002.

Cela favorisera la conquête de l'imaginaire, que les États-Unis conduisent en stimulant la diffusion internationale de leurs téléfilms, séries, dessins animés, vidéo-clips, bandes

---

1. Carlos Pardo, « Marketing contre cinéma d'auteur », *Le Monde diplomatique*, mai 1998.
2. Carlos Pardo, « La guerre des deux bouquets », *Le Monde diplomatique*, mai 1999.

dessinées, jeux télévisés, retransmissions sportives, publicités, etc. Sans parler des modèles vestimentaires, urbanistiques ou culinaires.

Temple des nouvelles libertés

Le temple, le lieu sacré où se déroule le culte des nouvelles icônes est le *mall*, le centre commercial, cathédrale érigée à la gloire de toutes les consommations contemporaines. Dans ces nouveaux lieux de ferveur (« *centres de vie* », clame la publicité) s'élabore une même sensibilité pour l'ensemble de la planète, fabriquée par des logos, des stars, des chansons, des idoles, des marques, des objets, des affiches, des fêtes (*cf.* l'expansion fulgurante d'Halloween en France).

« Le centre commercial est une invention américaine », rappelle le sociologue Jeremy Rifkin[1]. Le premier, le Country Club Plaza, fut conçu par J. C. Nichols en 1924 à Kansas City. Il devait devenir le modèle de tous ceux qui se construisirent après la seconde guerre mondiale avec son architecture méditerranéenne, ses fontaines carrelées et ses balcons en fer forgé. En 1956, à Edina, dans la périphérie de Minneapolis, l'architecte Victor Green conçut le premier centre commercial totalement couvert, Southdale. Grâce à un contrôle rigoureux de la température durant toute l'année, Green parvint à créer une atmosphère fermée presque hermétiquement, un lieu où les gens pouvaient oublier le monde extérieur.

Aux États-Unis, il y a plus de 43 000 centres commerciaux (dont 1 800 entièrement couverts). Et 85 % des touristes étrangers qui visitent les États-Unis affirment que leur objectif principal est de « faire des achats ». Le centre commercial America, à Minneapolis, le plus grand du pays, attire chaque année plus de visiteurs que Disneyland, Graceland (la maison-musée d'Elvis Presley) et le Grand Canyon du Colorado réunis !

Ces modèles ont été imités dans le monde entier. Et parfois, au Canada et au Japon par exemple, dépassés. Ils sont devenus des « centres d'animation et de distraction ». Tout

---

1. Jeremy Rifkin, *L'Âge de l'accès*, Paris, La Découverte, 2000.

cela accompagné d'une rhétorique séduisante de liberté de choix et de liberté du consommateur (avec la carte de crédit pour sésame de toute expérience). Martelée par une publicité obsessionnelle et omniprésente (les dépenses de publicité aux États-Unis s'élèvent, par an, à plus de 200 milliards de dollars !) qui porte autant sur les symboles que sur les biens [1].

Le marketing est tellement sophistiqué qu'il aspire à vendre, non plus une marque, mais une identité, pas un signe social mais une personnalité. Selon le vieux principe de l'individualisme qui pourrait se formuler ainsi : avoir c'est être.

Friandises pour les yeux

Toutes ces « techniques visant à tromper l'opinion » connaissent aujourd'hui, en raison de la révolution numérique, un essor formidable. D'autant plus effrayant que, devenus maîtres des codes et des symboles, les nouveaux rois de la manipulation se présentent désormais devant nous avec la séduisante apparence des enchanteurs de toujours. Ils nous proposent des loisirs à gogo, des distractions en boucle, des friandises pour les yeux. Tout, en somme, pour nous rendre béats, euphoriques et heureux.

C'est pourquoi il est urgent de se souvenir du cri d'alerte lancé jadis – dès 1931 dans *Le Meilleur des mondes* – par Aldous Huxley. Celui-ci y soutenait que, à une époque de technologie avancée, la propagande secrète disposait de mille atouts ultrasophistiqués pour nous influencer. Et que le plus grand danger pour les idées, la culture et l'esprit risquait donc davantage de venir d'un ennemi au visage souriant et doucereux que d'un adversaire inspirant la terreur et la haine.

C'est pourquoi il nous faut craindre à présent que la soumission et le contrôle de nos esprits ne soient pas conquis par la force mais par la séduction, pas sur ordre mais par notre propre souhait. Pas par la menace de la punition mais par notre propre soif de plaisir…

---

1. Lire Benjamin R. Barber, « Culture McWorld contre démocratie », *Le Monde diplomatique*, août 1998.

Spots publicitaires

Contrairement aux idées reçues, les effets de la publicité sur les ventes sont mal connus. Les rares études sérieuses réalisées sur ce sujet démontrent que le recours, même important, aux arguments publicitaires ne fait pas toujours vendre davantage[1]. Et cela se comprend si l'on considère que le système de communications de masse se trouve engorgé, obstrué par la masse de communications que lui-même émet. Ainsi, la télévision française, toutes chaînes confondues, a diffusé, en 1999, plus de 500 000 spots... Dans ces conditions, un message publicitaire a fort peu de chances d'être perçu. Aussi, les annonceurs cherchent-ils à élaborer des réclames extrêmement attractives, frappantes, insolites pour capter à tout prix l'attention d'un auditoire de plus en plus désorienté par la prolifération des pubs.

Dans cette lutte pour attirer la sympathie du public, susciter son intérêt, provoquer le désir et, dans la mesure du possible, déclencher le réflexe d'achat d'un produit, l'arme la plus sophistiquée, la mieux affinée des annonceurs, reste le *film publicitaire,* celui des salles de cinéma et, surtout, celui diffusé à la télévision.

---

1. Joaquim Marcus-Steiff, « À propos des effets de la publicité sur les ventes », *Communications, n° 17,* Paris, Le Seuil, 1971, p. 3-28.

Des effets mal connus

On estime actuellement, dans les grands pays développés, le mitraillage publicitaire à plus de 1 500 impacts par personne et par jour, dont à peine une centaine est consciemment distinguée par le public. Une enquête conduite à l'université de Harvard, aux États-Unis, a confirmé que 85 % de l'ensemble des messages publicitaires parvenant à un auditoire *ne l'atteignent pas.* Sur les autres 15 %, 5 provoquent des effets contraires (« *effet boomerang* ») à ceux que l'on recherchait. Et seulement 10 % agissent, en principe, positivement. Encore faut-il savoir que ces 10 % se réduisent, au bout de vingt-quatre heures, par oubli, à simplement 5 %. La déperdition atteint donc 95 % des messages publicitaires émis !

On mesure de la sorte que l'impact de la publicité n'est pas aisément quantifiable et que, malgré la rigueur des enquêtes de marché [1] faites en amont, neuf réclames sur dix passent inaperçues et quatre marques nouvelles sur cinq échouent dans leur tentative de s'imposer auprès d'éventuels acheteurs, disparaissant aussi brusquement qu'elles sont nées.

En France, l'Institut de recherches et d'études publicitaires (IREP) effectue en permanence des enquêtes très fouillées dans le but de savoir pourquoi une publicité marche ou ne marche pas. On y découvre que si les effets des réclames sur les ventes sont parfois impressionnants [2], ils peuvent aussi être nuls ou même négatifs (souvent le coût de la campagne publicitaire dépasse le montant des profits supplémentaires qu'elle procure). Par conséquent, il faudrait se garder d'avoir à l'encontre de la publicité, et surtout à l'égard de son prétendu pouvoir d'*incitation à l'achat,* une attitude par trop paranoïaque. En proclamant haut et fort que les messages publicitaires seraient

---

1. Le *marketing* est né à la suite de la crise de 1929 aux États-Unis ; les fabricants, qui, jusqu'alors, produisaient sans se soucier de la demande, ont soudain pris conscience qu'il fallait mettre sur le marché uniquement des produits ayant de fortes chances d'être achetés.
2. Les ventes de certains produits peuvent progresser de 20 % à 40 % après une campagne très efficace. Lire Catherine Colombat, « Les ressorts des pubs qui marchent », *L'Essentiel du management,* juillet 1999.

en mesure, toujours, de nous faire acheter, malgré nous, n'importe quoi, les intégristes publiphobes se trompent.

L'influence de la pub dans la croissance économique globale n'est pas davantage démontrée. Si la publicité était si efficace pour les affaires, elle provoquerait, à elle seule, en période de crise, une relance de la consommation et donc, en partie, de l'activité économique. Elle deviendrait alors strictement *indispensable.* Or, dès qu'il y a récession, la plupart des entreprises rognent d'abord sur leurs dépenses publicitaires. « La crise générale de 1973, après le choc pétrolier, admet Gilles Miroudot, directeur d'une agence de production de films publicitaires, a frappé en premier lieu les budgets publicitaires ; quand les annonceurs sont obligés de réduire leurs coûts, c'est ce qui est touché en premier[1]. »

Les agences de publicité sont donc, curieusement, les victimes prioritaires d'une crise économique. À titre d'exemple, dès 1974, un an après le début de la crise dite « du pétrole », les dépenses publicitaires chutaient de 12 %, et les 50 principales agences françaises licenciaient 15 % de leurs effectifs. La production de films publicitaires s'effondrait de 40 % par rapport à celle des années 1971 et 1972, avant le début de la crise…

Passion de publivores

Tout cela prouve une certaine indifférence du public envers le *message mercantile*, proprement commercial, des films publicitaires. Mais les gens ne sont pas forcément hostiles au *contenu ludique* des spots, en particulier de ceux diffusés dans les salles de cinéma. Une enquête effectuée en France par l'Institut Dourdin a montré, dès 1958, que 70 % des spectateurs de cinéma étaient favorables à la projection de films publicitaires, et encore récemment, 86 % de ces mêmes spectateurs avouaient regarder sans déplaisir les spots dans les salles.

---

1. *La Revue du cinéma, n° 330,* juillet-août 1978, p. 111.

On peut également constater cette sympathie à l'égard des films publicitaires lors des « Nuits des publivores », que certaines salles de cinéma, à Paris et en région, continuent de proposer régulièrement aux amateurs. De minuit à huit heures du matin, au cours de projections non-stop, des centaines de films publicitaires de toutes les époques et de tous les pays y sont ainsi présentés. Il y a aussi des collectionneurs de spots qui en possèdent parfois plus de soixante mille[1] ! Il existe également, dans de nombreuses villes, des musées de la publicité qui ont leur propre cinémathèque où l'on peut revoir les films publicitaires d'autrefois.

Enfin, il y a également des festivals prestigieux consacrés à la création publicitaire. Ainsi, du 19 au 24 juin 2000, le 47ᵉ Festival de la publicité s'est tenu à Cannes. Neuf mille professionnels venus des cinq continents y ont présenté leurs spots. Comme dans les grands festivals de cinéma, un jury international a distribué une centaine de Lions (d'or, d'argent et de bronze) qui ont récompensé les meilleures créations. Au cours de ces projections, on put vérifier que les publicitaires privilégient désormais l'émotion. « Il faut raconter des histoires – analysait l'un d'eux – qui, plus qu'à l'esprit ou à l'intelligence, entrent en résonance avec la palette des sentiments. » Et une journaliste constatait : « En premier lieu, le sexe est utilisé pour exprimer l'envie du produit […]. On mesure également le retour de l'individualité […]. Enfin, le corps, métamorphosé dans les univers virtuels, peut aussi être transformé, tiraillé, manipulé dans la vie réelle[2]. »

L'attitude du public est beaucoup plus critique à l'égard des spots diffusés à la télévision. Leur nombre est si important désormais dans les grandes chaînes gratuites que les téléspectateurs se déclarent saturés et agressés. Des sondages réalisés en France dès 1967, lorsqu'il était question d'introduire la

---

1. Lire un entretien avec M. Jean-Marie Boursicot, *Libération*, 11 mai 1984.
2. Florence Amalou, « La création publicitaire est désormais universelle », *Le Monde*, 27 juin 2000.

publicité à la télévision (il n'y avait alors que deux chaînes, toutes deux de service public), ont montré que 17 % seulement des Français admettaient l'introduction de la publicité, alors que 41 % y étaient opposés. Ce qui n'a d'ailleurs pas empêché la télévision française (alors ORTF) d'autoriser la publicité sur les chaînes dès 1968.

Chaque année, agences et annonceurs investissent des centaines de millions de francs dans l'industrie cinématographique pour réaliser plusieurs milliers de spots. Cette production publicitaire représente environ un tiers de l'activité des studios. Chaque année elle distribue environ trois mille rôles – ce qui représente plus de 30 % de la masse salariale globale des acteurs – et elle fournit plus de cinquante mille journées de travail aux techniciens et aux ouvriers du cinéma.

Un majorité de films publicitaires dure entre vingt secondes et trente secondes. Mais chaque année des centaines de spots de huit secondes sont réalisés. La mode est de diffuser des spots de huit secondes intercalés entre deux ou plusieurs autres réclames. Aussi bien dans les salles de cinéma qu'à la télévision.

D'ailleurs, pubs de salle et spots de télé se confondent de plus en plus, et depuis quelques années, les flashes publicitaires réalisés pour la télévision ont envahi les entractes des salles de cinéma et sont projetés sur le grand écran pour lequel ils n'ont pas été conçus.

Déjà les frères Lumière
Les films publicitaires sont pratiquement contemporains de la naissance du cinéma. Les frères Lumière eux-mêmes en ont réalisés, par exemple pour le champagne Moët & Chandon en 1904[1]. Mais le génial Georges Méliès avait déjà découvert, dès 1898, les vertus commerciales du septième art. « Le cinéma, quel merveilleux véhicule de propagande pour la vente de produits de toutes sortes ! s'exclame-t-il un jour. Il

---

1. *Cf. Le Monde*, 15 mai 1984.

suffirait de trouver une idée originale pour attirer l'attention du public et, au milieu de la bande, on lâcherait le nom du produit choisi[1]. »

Cette proposition de Méliès intéresse d'emblée de nombreuses firmes commerciales, et il réalise une série de *saynètes comiques* dans lesquelles, régulièrement, le nom de la marque n'apparaît qu'en *fin* de récit, une fois que les spectateurs sont subjugués par l'action. Méliès projette ces films gratuitement pour les piétons de Paris sur un grand écran extérieur placé au-dessus de la porte d'entrée de son théâtre Robert-Houdin, situé au 8 du boulevard des Italiens.

Georges Méliès va ainsi réaliser des spots pour des produits célèbres de l'époque : le biberon Robert, l'apéritif Picon, les chapeaux Delion, le chocolat Menier, le cirage de la veuve Brunot, le whisky John Dewar, la moutarde Bornibus, le chocolat Poulain, le bock Orbec, les corsets Mystère, la phosphatine Fallières, la lotion Xour, la bière Moritz, la farine Nestlé... « Il y avait aussi un film sur un machin pour faire repousser les cheveux, raconte la comédienne Jehanne d'Alcy, l'acteur, au lieu de mettre le produit sur sa tête, se le versait sur les pieds et il poussait des cheveux sur les chaussures[2]. »

De nombreuses personnalités ont commencé leur carrière cinématographique en réalisant des spots publicitaires. Le célèbre réalisateur américain King Vidor a fait des films-réclames pour la Ford Motor Company en 1915 avant de s'établir à Hollywood. Un autre cas célèbre est celui de l'actrice suédoise Greta Garbo qui débuta en 1920, à Stockholm, comme interprète de deux spots (réalisés par Ragnar Ring) vantant, l'un des manteaux, l'autre une pâtisserie. On peut citer également Marilyn Monroe, à la fin des années 1940, pour la firme Union Oil, ou Kim Novak qui débuta en 1953 dans un spot pour un appareil frigorifique.

---

1. Madeleine Malthète-Méliès, *Méliès l'Enchanteur,* Lausanne, Ex-Libris, 1974, p. 211.
2. *Ibid.,* p. 213.

Souvenirs de Marcel Carné

En France, dès les années 1930, des cinéastes aussi importants que Henri-Georges Clouzot ou Marcel Carné ont commencé leur carrière par la mise en scène de réclames publicitaires. Dans ses mémoires, Marcel Carné, auteur du *Quai des Brumes* et des *Enfants du Paradis*, a évoqué avec sympathie cette période de sa vie professionnelle :

« Je rencontrai Charles Peignot qui dirigeait alors cette merveilleuse revue sur la publicité : *Arts et Métiers graphiques*. Il avait l'idée de produire des films publicitaires destinés à être projetés dans les salles de cinéma durant l'entracte. L'équipe qu'il avait engagée comprenait déjà Jean Aurenche et Paul Grimault. Il me demanda si je voulais me joindre à eux. J'acceptai, comme bien on pense.

Je crois bien que je ne me suis jamais autant amusé de ma vie. Aurenche écrivait les scénarios teintés de surréalisme. Paul Grimault composait les décors et les costumes – et quels décors et quels costumes ! – ou, à défaut, jouait un ou plusieurs rôles sous des déguisements divers. Quant à moi, je mettais en scène et photographiais le film avec la caméra de *Nogent*[1] que j'avais conservée.

Une semaine, on reconstituait un accident d'auto pour les glaces Sécurit ; ou bien Grimault édifiait un décor composé d'escaliers dont les marches faites de pare-brise pliaient sous le poids d'un corps.

La semaine suivante, on filmait, sur la Seine, une histoire de naufragés dérivant sur un radeau. Il fallait ne prendre que des plans en plongée ou en contre-plongée, afin d'éviter la vue des tours de Notre-Dame ou celle des murs de la préfecture de police.

Je me souviens que le radeau, mal construit, fit soudain eau. Insensiblement, nous nous enfoncions dans le fleuve sous les regards de deux cents badauds qui se tenaient les

---

1. *Nogent, Eldorado du dimanche*, court-métrage réalisé par Marcel Carné en 1929.

côtes de rire, croyant que l'immersion du radeau faisait partie du scénario.

Naturellement, personne d'entre nous ne savait nager...

Un de ces films, *Une élection à l'Académie*, valut quelques ennuis à son producteur. La scène représentait la façade de l'Institut. Devant une des portes, quelques badauds faisaient la queue. Soudain, on voyait sortir, affolé, un académicien sec et long [interprété par Jean Aurenche[1]], l'habit flamboyant, le bicorne crânement posé sur la tête, l'épée au côté. Il s'éloignait en courant suivi d'un huissier qui ne cessait de supplier.

– Maître, maître... Revenez !

Après avoir culbuté deux ou trois passants et renversé le chevalet d'un peintre, l'académicien se tournait vers l'huissier et, superbe, répondait :

– On m'avait promis un fauteuil à l'Académie... Mais je croyais que c'était un fauteuil Lévitan !...

Le film fut refusé par les frères Nathan, qui dirigeaient alors Pathé et son circuit de salles. Il était, paraît-il, "*irrévérencieux*"![2]... »

Le cinéaste d'animation dont parle Marcel Carné, Paul Grimault, auteur notamment des dessins animés de long-métrage *La Bergère et le Ramoneur* (1950) et *Le Roi et l'Oiseau* (1979), s'est longtemps consacré entièrement au film publicitaire. En 1936, avec André Sarrut, il fonda la société Les Gémeaux qui, trois ans durant, réalisa des commandes pour, par exemple, les produits L'Oréal (*Une histoire naturelle*), les Huileries du Nord (*Embarquement pour Locane*), les gramophones Ducretet-Thompson (*Symphonie achevée*), les Galeries Barbès (*Au petit jour à Mexico, on va fusiller un homme*), les

---

1. Lire le témoignage de Jean Aurenche, célèbre scénariste de, entre autres, *Le Diable au corps* (1946), *L'Auberge rouge* (1951), *Jeux interdits* (1951), *La Traversée de Paris* (1956), *En cas de malheur* (1957), etc., dans Jean-Pierre Pagliano, *Paul Grimault*, Paris, Dreamland éditeur, 1996, p. 170.
2. Marcel Carné, *La Vie à pleines dents,* Paris, Éditions Jean-Pierre Ollivier, 1975, p. 36 et 37.

tissus Noveltex (*L'enchanteur est enchanté*), les lampes Mazda (*Le Messager de la lumière*)...

D'autres importants cinéastes d'animation, comme Alexandre Alexeïeff, inventeur de l'écran d'épingles, et des scénaristes de génie comme Jacques Prévert ou Jean Aurenche, ont souvent accepté de répondre à des commandes commerciales.

Captiver l'attention

Les techniques proprement publicitaires des réclames filmées ont peu varié depuis Méliès. Encore aujourd'hui, les spots commencent souvent par des scènes intéressantes (comiques, dramatiques ou documentaires) *sans aucun rapport prévisible* avec le message publicitaire qui le conclut. Ces annonces sont parfois, dans la plupart des chaînes de télévision du monde, injectées en cours de projection d'une émission ou d'un film, alors que l'attention du téléspectateur est tout entière concentrée sur le spectacle attractif (pub-éclair diffusée au milieu d'un film). Elle agace et irrite une partie du public mais les publicitaires estiment qu'elle se grave mieux dans la mémoire parce qu'elle fait fond sur une *attention captive*.

Ces pratiques donnent lieu parfois à des situations cocasses : à la télévision américaine, surtout avant l'invention du magnétoscope (en 1967), les spots étaient *joués en direct* par des comédiens qui faisaient irruption brusquement dans le plateau d'un studio où s'enregistrait, *live*, une émission, pour proposer des produits n'ayant souvent aucun rapport avec le spectacle en cours.

L'acteur français Jean-Pierre Aumont, qui travailla longtemps aux États-Unis, a eu à supporter ces interruptions. « Je tenais, raconte-t-il, le rôle de Raskolnikov dans une adaptation pour la télévision américaine de *Crime et Châtiment*, le roman de Dostoïevski. Ce fut au moment où je m'apprêtais à tuer la vieille logeuse que l'on me tira brusquement par la manche. Je devais céder la place à un monsieur tout souriant qui, face aux caméras, s'exprima à peu près en ces termes : "Mes chers spectateurs, vous vous demandez pourquoi Raskolnikov se montre si nerveux, l'explication est aisée : il n'a jamais connu le chewing-gum Machotin qui calme les nerfs." Quatre fois en vingt minutes, j'eus à m'effacer devant les vertus tranquillisantes du chewing-gum [1]. »

Charles Chaplin, dans son célèbre film *Un roi à New York* (1957), a raillé, avec génie, le grotesque de ce type d'émissions publicitaires qui se généralisèrent à la fin des années 1940.

Il faut dire que cette époque, la fin des années 1940 et le début des années 1950, vit l'éclosion de toutes sortes d'initiatives publicitaires souvent farfelues mais parfois remarquablement efficaces. À cet égard, le cinéaste américain John Huston, dans son autobiographie [2], évoque le singulier producteur David Selznick et ses curieuses méthodes publicitaires. « En 1947, pour la sortie de *Duel au soleil*, de King Vidor, Selznick, "qui avait le génie de la publicité", se procura le nom de tous les barmen des États-Unis et leur fit envoyer une carte postale, manuscrite, vantant l'œuvre de Vidor et la sensualité de la comédienne principale, Jennifer Jones. La carte était signée "Joe". Huston raconte que chaque barman, à l'aide de quelques clients, chercha qui pouvait bien être ce Joe, chacun en connaissant au moins deux ou trois. Quelque temps plus tard, une campagne d'affichage montrait Jennifer Jones en tenue très sexy. Dans tous les bars, on s'écria : "C'est le film dont nous a parlé Joe !" Enfin, toujours selon Huston, Selznick, doutant de la qualité du film, commanda trois fois plus de copies que d'habitude et sortit le long-métrage simultanément dans tous les grands cinémas du pays, de façon à encaisser le maximum de recettes avant que le public n'en vienne à bouder le film. *Duel au soleil* a ainsi longtemps figuré parmi les dix plus grands succès du cinéma hollywoodien [3]. »

---

1. André Brincourt, *La Télévision et ses promesses,* Paris, La Table Ronde, 1960, p. 34.
2. *John Huston par John Huston,* Paris, Pygmalion, 1982.
3. Cité par Carlos Pardo dans « Marketing contre cinéma d'auteur », *Le Monde diplomatique,* mai 1998.

Fabriquer des esprits

C'est en 1947 également que les spots publicitaires ont été introduits pour la première fois à la télévision aux États-Unis. Depuis, le genre a connu une évolution rapide par affinements successifs et par réductions de durée. Le prix d'un passage à la télévision (pour qu'une campagne soit « efficace » il faut, selon les experts, un minimum de *huit* passages sur une même chaîne, l'optimum étant une *vingtaine* de passages) en fonction de la durée du spot. Actuellement une annonce d'une trentaine de secondes, diffusée à une heure de grande écoute, par exemple 20 h 40, revient, en moyenne, sur la première chaîne française à 440 000 francs, pour *un seul* passage[1]. Et la chaîne, sous prétexte que ses tarifs sont inférieurs à ceux pratiqués en Grande-Bretagne, compte les augmenter de 30 % dans les deux années à venir. Aux États-Unis, la diffusion d'un spot de trente secondes au cours du dernier épisode du jeu-vérité *Survivor*, suivi par 51 millions d'Américains, le 23 août 2000, sur la chaîne ABC, a été facturé 600 000 dollars (4,3 millions de francs)[2] !

De tels tarifs encouragent les annonceurs à réduire le temps du spot tout en s'efforçant de conserver sa charge sémantique, son capital d'expression et son efficacité commerciale. Dire le maximum en un minimum de temps, telle est l'aspiration fondamentale des publicitaires. Ils doivent parvenir à une communication quasi instantanée, à faire *entendre et comprendre* leur message persuasif, et cela avec suffisamment d'impact pour qu'il influe sur les attitudes et les opinions de ceux qui le reçoivent, afin de déterminer le comportement du public cible.

Car le projet de la pub demeure ambitieux. La publicité se

---

1. Les tarifs de pub à la télévision, calculés en centièmes d'heure, changent sans arrêt, et varient infiniment selon le jour et l'heure de diffusion. Ainsi, par exemple, à TF1, ce sont plus de quinze mille tarifs successifs qu'affiche annuellement la chaîne. Le catalogue détaillé des tarifs s'étale sur plus de mille pages… Le système est grosso modo identique chez France Télévision Publicité, la régie publicitaire des chaînes publiques. Voir Hervé Martin, « Parfum d'escroquerie dans la pub télévisée », *Le Canard enchaîné*, 9 août 2000.

2. *Le Monde*, 26 août 2000.

rattache au premier et au plus grand des arts : la politique, la conduite des hommes. « Ce à quoi nous travaillons, affirme Ernst Dichter, l'un des plus importants théoriciens de la publicité, c'est à fabriquer des esprits[1]. »

Et cette mission est d'une importance capitale. Pour certains c'est une guerre. D'ailleurs les publicitaires utilisent souvent une terminologie guerrière, empruntée aux militaires. Ne parlent-ils pas de « stratégies », de « campagnes », d'« offensives », de « cibles », de « résistances », de « déroutes » ? Par exemple, Georges Chetochine, théoricien du marketing, n'hésite pas à affirmer : « Le client c'est l'ennemi ! Pour le fidéliser, il faut : 1) le désarmer ; 2) le faire prisonnier ; 3) garder l'initiative[2]. »

Perceptions subliminales

Il faut donc attaquer de front. Cogner. Faire court et clair. L'évolution de la durée des films publicitaires montre que ce pari de la brièveté a été tenu : à la fin des années 1950, les spots projetés dans les salles de cinéma duraient, en moyenne, de *une* à *trois minutes* ; actuellement, les spots à la télévision durent, en moyenne, de *huit* à *trente secondes*.

On pourrait même imaginer un spot publicitaire réduit à *une seule image* et dont l'effet sur le spectateur serait pourtant considérable. Un tel procédé, dit de l'*image subliminale*, rend invisible, imperceptible la publicité. En insérant, en effet, une image parasite parmi les vingt-quatre qui défilent par seconde au cinéma (vingt-cinq à la télévision), la persistance rétinienne ne se produit pas. L'œil voit et le cerveau en est informé, mais *en-dessous* du seuil de conscience. Par effet subliminal (du latin *sub limen*, « sous la limite »).

Depuis plus d'un siècle, les spécialistes tentent de déterminer dans quelle mesure une image (mais aussi un son ou un mot) présentée de façon si fugitive que la personne croit ne

---

1. Ernst Dichter, *La Stratégie du désir*, Paris, Fayard, 1961.
2. Brochure de présentation du stage de formation « Changement de comportement pour la fidélisation », Georges Chetochine Conseil SA, Rueil-Malmaison, 2000.

pas l'avoir perçue, peut néanmoins affecter son jugement, ou sa perception consciente. Dès 1898, à Harvard, un chercheur, Boris Sidis, montrait que des cobayes ne distinguant qu'un « point flou » sur des cartes placées au loin, étaient capables de nommer la lettre qui y était inscrite avec un taux de réponses correctes supérieur à celui résultant du hasard[1].

Des expériences de ce type de publicité invisible ont été effectuées en 1957 aux États-Unis, par James Vicary, dans une salle de cinéma du New Jersey. Le film *Picnic* (de Joshua Logan, 1955, avec Kim Novak et William Holden) fut entrelardé de six images-flashes d'une durée de quelques centièmes de seconde invitant les spectateurs à manger du pop-corn et à boire du Coca-Cola. James Vicary affirma que la consommation de pop-corn avait augmenté de 57,7 % et celle de Coca de 18,1 %. Mais il avoua plus tard que son étude était fausse, et qu'il avait menti...

Le danger de cette persuasion clandestine est-il réel ? Les expériences ont prouvé que ce type de propagande silencieuse ne suscite, à la rigueur, que des besoins grossiers (envie de boire, de manger, de fumer, de se rafraîchir...) et ne peut nullement imposer une marque précise de produit. « Il n'y a aucune preuve qu'une personne puisse agir sous l'influence d'une perception subliminale[2] », affirme le professeur Philip Merikle, de l'université de Waterloo, au Canada. D'autres soutiennent que cette influence existe ; par exemple, le mot « arbre » subliminal accélère la dénomination de l'image de l'arbre, mais la durée de vie de cette influence subliminale est extrêmement réduite : « Après 200 millisecondes, l'effet s'est évanoui, signale le professeur Juan Segui, directeur du Laboratoire de psychologie expérimentale à Boulogne-Billancourt (CNRS-Paris V), ce qui implique qu'il faudrait se précipiter au supermarché à la vitesse de la lumière pour acheter son Coca-Cola[3]. »

---

1. Hervé Morin, « Chercheurs, industriels et charlatans sur les traces de la perception subliminale », *Le Monde*, 2 septembre 2000.
2. *Ibid.*
3. *Ibid.*

Aujourd'hui considérées comme illégales, les images subliminales hantent l'esprit de nombreux citoyens. En France, en 1988, après la campagne électorale présidentielle qui vit la victoire, pour la seconde fois, de François Mitterrand, le journal *Le Quotidien de Paris* reprocha à ce candidat d'avoir bénéficié de l'effet occulte d'« images subliminales » le représentant, contenues dans le générique du journal télévisé de la deuxième chaîne (alors Antenne 2). Un procès fut intenté contre la direction de la chaîne pour « manipulation électorale ». Les plaignants perdirent le procès. Mais la CNCL, ancêtre de l'actuel Conseil supérieur de l'audiovisuel (CSA) décida d'interdire toute incrustation de ce type.

En mai 2000, une association antisectes, aux États-Unis, a accusé le film *Battlefield Earth*, adapté d'un roman de Ron L. Hubbard, le fondateur de l'Église de Scientologie, et interprété par John Travolta, l'un de ses membres éminents, de « contenir des images subliminales » pour favoriser la conversion du public [1].

En septembre 2000, au cours de la campagne présidentielle américaine, le candidat républicain George W. Bush dut admettre qu'un spot réalisé par son équipe de communication contenait une image subliminale. Ce spot s'en prenait au programme de son adversaire démocrate Albert Gore. En surimpression sur l'image de ce candidat apparaissait d'abord la phrase : « *The Gore Prescription Plan : Bureaucrats Decide.* » (« Le plan Gore de couverture pharmaceutique des retraités : les bureaucrates décident. ») Puis, sur fond noir, cette phrase voyait les quatre dernières lettres du mot « *bureauc*rats » se détacher, s'agrandir et venir s'inscrire, le temps d'un flash d'un trentième de seconde, en capitales, « RATS », sur tout l'écran [2].

Le spot avait été diffusé plus de 4 000 fois dans 33 villes différentes sans que nul ne se soit aperçu de son message secret. Mais un téléspectateur de Seattle, à l'œil de lynx, s'en

---

1. *Le Monde*, 20 mai 2000.
2. *International Herald Tribune*, 13 septembre 2000.

rendit compte, enregistra le spot et dénonça la manipulation électorale qui comparait les démocrates non seulement à des bureaucrates, mais à des rats. Le recours aux images subliminales n'est pas formellement interdit aux États-Unis, mais devant l'énorme scandale soulevé par cette affaire, Alex Castellanos, producteur du spot pour le Comité républicain national, et Mark McKinnon, conseiller médiatique du candidat républicain, nièrent avoir délibérément incrusté le mot « rats ». Harcelé par les médias et malgré le coût déjà engagé pour la diffusion de ce spot (estimé à environ 2,5 millions de dollars), George W. Bush dut se résigner à le retirer de la campagne.

La publicité clandestine ne se niche pas que dans les spots. Elle se dissimule parfois dans les pages des romans de gare. Par exemple, dans les livres de Gérard de Villiers, diffusés chacun à 300 000 exemplaires, son personnage principal SAS (Son Altesse Sérénissime Malko Linge, agent de la CIA) voyage sur Air France ou Scandinavian Airlines, consulte sa montre Breitling, fume des Gauloises blondes, allume des briquets Zippo, boit du champagne Taittinger, ou du whisky Defender, ou du cognac Otard... Ces marques, en guise de droits pour cette propagande secrète, versent chacune à l'auteur environ 200 000 francs par an[1]...

350 000 spots à dix-huit ans

Grâce au perfectionnement des spots, les messages publicitaires sont devenus des communications précises, ultrarapides... et proliférantes. Les grandes chaînes commerciales américaines diffusent des rafales de spots toutes les douze minutes environ, et les séries télévisées sont déjà conçues, *au préalable,* pour pouvoir intégrer ces séquences publicitaires. Ce qui modifie évidemment la structure dramatique des épisodes (voir, page 103, le chapitre consacré aux séries policières américaines « Kojak et Columbo »).

---

1. Voir François Genthial, « SAS, champion de la pub clandestine », *Capital,* avril 1999.

Le chaîne NBC, par exemple, transmet annuellement plus de 40 000 spots différents, sans compter les annonces qu'elle rediffuse inlassablement. Ce matraquage fait dire au sociologue américain Michael Hakawa qu'un jeune New-Yorkais de dix-huit ans a dû voir à la télévision environ 350 000 spots publicitaires depuis sa naissance [1].

En France, c'est Télé-Monte-Carlo qui, en 1961, a introduit les premiers spots publicitaires à 19 h 30 et 19 h 45. Sur les grandes chaînes, le temps consacré à la publicité n'a cessé de progresser régulièrement : il était de deux minutes par chaîne et par journée sur TF1 et Antenne 2 (nom à l'époque de France 2) en 1968. Il est passé à quatre minutes en janvier 1969, puis à six minutes en septembre 1969, à huit minutes en janvier 1970, à dix minutes en décembre 1970, à treize minutes en décembre 1971, à quinze minutes en 1975 et à plus de vingt minutes sur chacune des deux premières chaînes au début des années 1980. Et l'escalade publicitaire se poursuivait, surtout après la privatisation de TF1 et l'apparition des chaînes privées au milieu des années 1980.

En 2000, le temps maximum autorisé de diffusion de spots publicitaires atteignait en moyenne, sur France 2 et les chaînes publiques, dix minutes *par heure*. Et sur les chaînes privées, douze minutes. Une durée jugée tellement excessive que le Conseil supérieur de l'audiovisuel a décidé de la réduire, sur toutes les chaînes, de deux minutes par heure dès 2001.

L'art de persuader

La publicité se voulant un *art de persuader,* chaque spot est extrêmement élaboré. « Les spots, estime Jean-Luc Godard, sont les seuls films efficaces et bien faits [2]. » Ils procèdent d'un travail de recherches, de sondages et d'enquêtes considérable. Et résultent souvent de la collaboration de spécialistes éminents et doués, appartenant à des disciplines fort diverses :

---

1. Eulalio Ferrer, « *La crisis de la publicidad* », *Comunicación, n° 36*, Barcelone, 1978, p. 58.
2. Entretien avec Jean-Luc Godard, *Ça-Cinéma, n° 19*, p. 30.

sociologues, psychologues, sémiologues, linguistes, graphistes, décorateurs, musiciens, en plus des créateurs cinématographiques proprement dits.

Une telle conjonction d'expertises, de talents et d'efforts fait dire à Marshall McLuhan : « Il n'y a pas d'équipe de sociologues capable de rivaliser avec les équipes de publicitaires dans la recherche et l'utilisation de données sociales exploitables. Les publicitaires consacrent chaque année des milliards de dollars à la recherche et à l'examen des réactions du public, et leur production est une extraordinaire accumulation de données sur l'expérience et les sentiments communs de toute la société[1]. »

Le *tournage* d'un spot de vingt secondes prend au moins cinq jours entiers, chaque plan, aussi court soit-il, exige de nombreuses répétitions, il faut ensuite tenir compte des délais de montage, de synchronisation des images et des sons (bruits, musique, commentaire), des surimpressions de texte. À chaque étape, on teste le résultat auprès du commanditaire, ou sur un auditoire témoin.

Le regard des spectateurs, en particulier, est attentivement étudié par les publicitaires. Avant diffusion, le spot est parfois soumis au test dit d'« *eye camera* » : on enregistre, par caméra invisible, le mouvement des yeux, l'activité des pupilles, sur un spectateur-cobaye qui regarde défiler l'annonce. En multipliant ces tests, on peut déterminer statistiquement le parcours de l'œil sur chaque plan d'un spot ; ce qui est vu en premier, ce qui lui échappe. On peut alors modifier les plans, allonger leur durée ou, au contraire, la raccourcir jusqu'aux limites strictes de la possibilité de lecture et en tenant compte du fait que plus le plan sera court plus il devra être gros.

Il n'est pas étonnant par conséquent que le coût de réalisation de certains spots soit parfois exorbitant. À titre d'exemple, en 1998, le spot pour Évian, où l'on voyait, avec pour fond sonore la chanson *Bye-bye Baby* du film *Les hommes*

---

1. Marshall McLuhan, *Pour comprendre les médias*, Paris, Le Seuil / Mame, 1968, p. 252.

préfèrent les blondes, un ballet nautique de pas moins de soixante-dix bébés, a coûté plus de 7,5 millions de francs...

Un genre discret

Le film publicitaire est un genre *discret*. Dans les salles, il n'est pas annoncé ; sur les chaînes, les programmes de télévision n'en font guère mention. Cette discrétion, qui paraît contraire à son opiniâtre souci d'efficacité, se révèle nécessaire pour se faire accepter. Sa légitimité sur les écrans est à ce prix, car il s'agit effectivement d'une propagande silencieuse. Une telle retenue permet, d'autre part, aux spots publicitaires de se dissimuler dans le maquis des programmes, d'y être *naturellement* comme un poisson dans l'eau. « Les pubs, note Patrick Bezenval, visent davantage à faire partie de la télé, qu'à être perçues comme des émissions[1]. »

En France, la publicité télévisée est circonscrite, bornée, mise entre parenthèses, enserrée entre des marqueurs de début et de fin. Pendant longtemps, sur TF1, un indicatif de trois notes musicales sur fond du sigle de la RFP (Régie française de publicité) annonçait le démarrage de la séquence publicitaire. Son achèvement était signalé, à la fin des années 1970 et au début des années 1980, par un mini-film d'animation, toujours différent, avec un même personnage, un lion en peluche, comme protagoniste et toujours un *gag* muet comme dramaturgie.

À la même époque, sur Antenne 2, le bornage initial consistait en un dessin animé présentant une pomme qui se transformait en fleur ; la fin était indiquée par la reprise, en mouvement inverse, de ce dessin animé où la fleur redevenait pomme.

De tels motifs n'étaient guère sans signification, notamment celui d'Antenne 2, car on sait que *pomme* et *fleur* cons-

---

1. Patrick Bezenval, *La Télévision*, Paris, Larousse, 1978, p. 43. À cet égard, il est significatif de constater que le volumineux dictionnaire historique de la radio et de la télévision en France, publié sous le titre *L'Écho du siècle* (sous la direction de Jean-Noël Jeanneney, Paris, Hachette, 1999) ne comporte *aucune* entrée, rubrique ou réflexion consacrée à la publicité...

tituent des symboles notoires, respectivement, de la tentation, du désir et de la beauté, de la jeunesse et de la fraîcheur. Ces symboles établissaient, en raccourci, tout l'enjeu de la publicité : tenter de susciter le désir en faisant miroiter la promesse d'une jeunesse et d'une beauté éternelles.

Le petit lion de TF1 incitait plutôt, paradoxalement, au scepticisme et à la méfiance. Cette marionnette de bois, d'aluminium et de feutre, haute de trente centimètres, s'appelait Loeki et avait été créée par le cinéaste d'animation hollandais Joop Geesinck en 1974. Ses « aventures » de quatre secondes furent également diffusées en Grande-Bretagne, Hollande, Afrique du Sud et aux États-Unis.

Dans ses micro-sketches, Loeki était constamment aux prises avec des objets qui, au lieu de satisfaire ses désirs ou simplement de remplir leur habituelle fonction, se montraient rebelles à la manipulation et décevaient son attente naïve. Avertissement de la chaîne aux consommateurs trop ingénus ? Peut-être. Surtout si l'on considère le caractère systématique des gags et si l'on se rappelle que la publicité cherche souvent (le petit lion en savait quelque chose) à faire acheter des produits inutiles.

En France, chaque spot télévisé est séparé de ses voisins par ce que *Le Petit Larousse* définit précisément comme un *spot* : « Une tache lumineuse projetée sur un écran ». Ces taches possèdent une couleur différente selon la chaîne, et une couleur qui est loin d'être insignifiante.

Elle est, depuis toujours, *bleue* sur TF1 pour évoquer le ciel ou la mer, l'immensité, la tranquillité, la douceur, le respect. Elle fut longtemps *verte* sur France 2, pour suggérer la verdure des campagnes, la nature, l'écologie, l'espoir, le calme, la fraîcheur. Aujourd'hui, sur cette chaîne publique, comme sur France 3, elle est devenue *blanche*, comme l'immaculé, la pureté et l'innocence. Elle est, curieusement, *noire* sur Canal Plus, comme la nuit, le remords ou l'amnésie.

Ces points lumineux instantanés offrent ainsi à l'œil de rapides échappées, des évasions fugaces, et favorisent, accentuent, entre chaque pub, la *suggestibilité* des téléspectateurs.

Fiction et commerce

Dans la structure de chaque film publicitaire, on peut distinguer deux parties distinctes et dissociables : le *support fictionnel* et le *message commercial*.

La première partie du spot, la micro-fiction, est souvent un exercice filmique de grande virtuosité que l'on peut apprécier indépendamment du message commercial. Celui-ci d'ailleurs se trouve généralement relégué en fin de film (parfois sous la forme d'une voix off), en appendice, et donc il est facilement sécable, détachable.

En quelques dizaines de secondes, un film publicitaire peut utiliser autant de modes d'expression qu'un long-métrage commercial. Sa richesse fascine et mystifie, car la forme, le style d'un spot constituent l'*écrin* visuel du produit. Comme l'emballage qui met en valeur un objet, la mise en scène du spot relève du *conditionnement*.

Cette richesse de formes constitue une impression trompeuse. En étudiant formellement les spots télévisés, on s'aperçoit que, en matière de langage cinématographique, ils reposent sur un usage presque exclusif du *gros plan*. On y trouve peu de mouvements de caméra (les panoramiques ou les travellings sont rares, les plans-séquences encore plus). Seuls créent une impression de mobilité de très brefs et vifs zooms afin de mieux cadrer les gros plans.

Montés *cut*, ces gros plans se succèdent à une cadence excessivement rapide. Ainsi, Tony Garnett, producteur des films de Ken Loach et réalisateur de *Prostitute* (1981), constatait il y a quelques années : « La télévision britannique brille de moins en moins par ses audaces, s'aligne sur l'esthétique du film publicitaire et du feuilleton à l'américaine, où la durée des plans ne dépasse pas deux secondes et demie pour la publicité, trois secondes pour les séries[1]. »

Cette succession s'est encore accélérée. Elle est actuellement, en moyenne, d'environ *deux plans par seconde*. C'est

---

1. Cité par Louis Marcorelles, « Les ambiguïtés du modèle britannique », *Le Monde*, 28 janvier 1981.

une fréquence fabuleusement élevée si on la compare à celle des séries télévisées américaines (0,7 plan par seconde, en moyenne) qui sont, après les spots publicitaires, les messages audiovisuels les plus rapides, et dont la vitesse est d'ailleurs créée par la présence, enchâssée dans leur déroulement, de séquences publicitaires.

Hypnoses

Ces changements rapides, ces crépitements d'images fonctionnent, d'autre part, comme des *stimulations visuelles*. Elles *fixent* le regard par leur rythme haletant et le clignotement de la lumière. La vitesse de défilement des plans est telle qu'écarter les yeux du téléviseur, ne serait-ce qu'une demi-seconde, ferait rater au moins un plan. Cette vitesse constitue donc un moyen de rendre le regard *captif*, et de provoquer un *effet d'hypnose*.

L'heure de diffusion des spots (ceux de 20 heures et de 20 h 30 en particulier) et le *lieu* où on les regarde (généralement la salle de séjour) favorisent cette phase hypnoïde. Après la fatigue de la journée, la concentration, le silence, la pénombre, la détente, la position allongée, l'ambiance feutrée des salons et, éventuellement, un verre d'une boisson alcoolisée sont autant d'éléments susceptibles de provoquer une transe légère et d'assujettir l'attention.

Placé dans ces conditions, bercé par les musiques d'ambiance des spots, le téléspectateur perd en partie sa personnalité consciente. Ses résistances mollissent. Sa volonté et son discernement se réduisent. Il devient plus réceptif aux suggestions (suggérer c'est signifier sans dire), surtout lorsque celles-ci renvoient directement à tout ce qui est du registre de l'*affect*. Les spots provoquent ainsi une sorte de *somnambulisation*.

Parasitage filmique

L'abondance de gros plans et leur brièveté déterminent le caractère fondamentalement elliptique des spots. Le langage filmique de la publicité apparaît concentré, dynamique, direct, sans coordinations ni subordinations. Et ce langage parasite imprègne celui du cinéma de long-métrage.

Dès 1967, Marshall McLuhan notait (mais sa remarque passait alors presque inaperçue) que le succès de films comme *Hard Day's Night* ou *The Knack,* de Richard Lester, et de *What's New Pussicat ?* de Clive Donner, s'expliquait parce que « le public avait été préparé, par les *réclames télévisées,* aux changements de plans rapides, aux commentaires elliptiques, à l'absence de récit continu et aux coupures subites[1] ».

La multiplication des films publicitaires, leur prolifération, entraîne par conséquent non seulement une *réduction* du langage cinématographique, mais une *uniformisation* des structures et des formes esthétiques utilisées. Et cette standardisation langagière, lorsqu'elle s'étend aux longs-métrages, rend beaucoup de films monotones et réitératifs, tout en facilitant la lecture et l'assimilation des récits filmés. Conséquence : tous les films finissent par se ressembler.

Standardisation

Ce phénomène de standardisation a commencé vers le milieu des années 1950 lorsqu'une génération de cinéastes américains et britanniques, venus de la télévision, a imposé sur le grand écran la simplicité stylistique des feuilletons, des séries, des dramatiques ou des émissions de variétés de la télévision.

À cette génération appartiennent, par exemple, Delbert Mann, ancien réalisateur de la chaîne NBC, auteur en 1955 de *Marty,* qui remporta quatre Oscars à Hollywood et la Palme d'or au Festival de Cannes ; Sidney Lumet, de la chaîne CBS, réalisateur, en 1957, de *Douze Hommes en colère* ; Robert Mulligan, ancien de NBC ; John Frankenheimer, de CBS ; John Schlesinger, de BBC-TV ; Norman Jewison, de CBS ; Martin Ritt, Arthur Penn, Ralph Nelson, Stuart Rosenberg, Tom Gries, Arthur Hiller, etc.

---

1. Marshall McLuhan, *Message et Massage,* Paris, Pauvert, 1968, p. 128.

Spots publicitaires

La génération suivante est également venue à Hollywood en provenance de la télévision. Lui appartiennent des réalisateurs comme Robert Altman, Bob Raffelson, Michael Ritchie, Alan J. Pakula, Larry Peerce, John Boorman, Sidney Pollack...

Enfin, les Francis Ford Coppola, George Lucas, Steven Spielberg, William Friedkin, Martin Scorsese, Brian de Palma ou John Badham ont complètement assimilé le style des séries télévisées (ils l'ont parfois appris dans les cours de cinéma à l'université) et reproduisent celui-ci avec le maximum d'efficacité. Leurs films rencontrent en général un accueil très favorable qui s'explique parce que le public peut enfin voir une série télévisée complète, d'un seul tenant et sans les constantes interruptions des annonces télévisées. On pourrait même soutenir, sous forme de boutade, que, aujourd'hui, les gens vont au cinéma pour pouvoir enfin regarder la télé en paix !

Le réalisateur Richard Brooks, auteur d'*Elmer Gantry* (1961) et de *À la recherche de Mr Goodbar* (1979), constate : « La télévision a tellement conditionné les esprits que les gens vont maintenant au cinéma pour voir la même chose que chez eux. Sinon ils sont désorientés. Et comme ceux qui font les films (producteurs et réalisateurs) viennent de la télévision où ils faisaient des spots publiciatires ou des séries[1]... »

Steven Spielberg, auteur des *Dents de la mer* (1975), de *Jurassic Park* (1997) et de *Qui veut sauver le soldat Ryan?* (1999), comparant les films de sa génération à ceux des Howard Hawks, John Ford, Ernst Lubitsch ou Alfred Hitchcock, reconnaît : « L'esthétique de notre cinéma est celle de la publicité[2]. »

Le style des spots publicitaires, qui détermine d'abord celui des émissions télévisées, a été en fin de compte largement adopté par les films « artistiques » de long métrage et il

1. « Richard Brooks, un moraliste américain », entretien avec Ignacio Ramonet, *Libération*, 11 juillet 1980.
2. « Entretien avec Steven Spielberg » par Alain Rémond, *Télérama*, 25 février 1978.

devient de plus en plus difficile de distinguer, par leur forme, des œuvres de réalisateurs différents.

À la conquête de Hollywood

La confusion est si complète que, à Hollywood, lorsque la 20th Century Fox voulut produire une superproduction de science-fiction à thème spatial, elle s'adressa au plus célèbre cinéaste publicitaire britannique, auteur de plus de 3 000 spots publicitaires : Ridley Scott. Celui-ci mit effectivement en scène *Alien* et remporta le succès mondial que l'on sait, avant de réaliser, entre autres, *Blade Runner* (1982) et *Gladiator* (2000).

Inversement, lorsque, en 1977, les professionnels de Hollywood voulurent décerner l'Oscar au meilleur film artistique étranger, ils accordèrent leur prix à *Noirs et Blancs en couleurs,* long-métrage français (passé assez inaperçu en France) mis en scène par Jean-Jacques Annaud (auteur depuis de *La Guerre du feu* et de *L'Ours*), le plus prolifique et talentueux des cinéastes publicitaires français qui remporta, en 1979, la plus haute distinction à l'époque – une Minerve de platine – du cinéma publicitaire pour son spot *Kelton, le train* ; et qui a également réalisé des spots pour les pneus Uniroyal, la boisson Orangina, et l'eau gazeuse Perrier.

Le cinéma publicitaire semble donc une bonne école pour accéder à la réalisation de longs-métrages, et nombreux sont les cinéastes qui, en France, ont suivi cette filière, de Christian Gion (auteur de *C'est dur pour tout le monde, Le Pion, Le Gagnant*) à Robin Davis (*La Guerre des polices*). Inversement, de nombreux cinéastes importants réalisent de temps à autre des spots, par exemple : Claude Chabrol (cigarettes Winston), Jean Becker (Ricorée, Épéda, Miko), Jean-Jacques Beneix (Dulux Valentine), Luc Besson (Crédit Lyonnais, Danone, Évian, Chanel n° 5, Club Internet), Bertrand Blier (Yop, camembert Président), Étienne Chatilier (Eram, La Française des jeux, Lion de Nestlé), Alain Corneau (Citroën ZX, Chrysler jeep, UAP), Raymond Depardon (Samsonite, Pampers, Volvic), Jean-Luc Godard (Schick), Patrice Leconte

(Crunch, Peugeot 106, Elf), Claude Lelouch (Peugeot 306), Claude Miller (Mikado, Mc Donald's, café Grand-Mère), William Klein (Air France), Georges Lautner (La Samaritaine), Robert Enrico (riz Uncle Ben's), Jacques Demy (Roja), Dusan Makavejev (Pathé-Marconi), Sergio Leone (Gervais), Bertrand Tavernier (PTT), Gérard Pirès (Samsonite, Wonder), Yves Boisset (Renault), Claude Pinoteau (chocolat Menier), Maurice Dugowson (Vigor), Joël Séria (Scotch-Brite), Walerian Borowczyk (Boursin), etc. [1]

Aux États-Unis, également, des metteurs en scène prestigieux ne refusent pas de faire des spots. Ainsi John Woo (auteur de *Broken Arrow* et *Mission Impossible 2*) a réalisé un spot pour Nike, et Tim Burton (auteur de *Mars Attacks !*) un autre pour Hollywood Chewing-Gum. Et Francis Ford Coppola, David Lynch et Wim Wenders ont réalisé, en 2000, des spots pour le géant mondial de l'affichage, Jean-Claude Decaux.

Un tel brassage confirme l'uniformisation du langage cinématographique. « Films publicitaires et films courants, remarque le sémiologue Jean-Paul Simon, apparaissent comme deux modalités du discours marchand ; ces derniers vendent le mode de vie sans préciser les produits, les films publicitaires complètent. *Tommy,* de Ken Russel, est un cas-limite de film conçu comme une série de spots publicitaires où l'on ne sait plus très bien si le film sert à vendre le disque ou le contraire [2]. »

Enfants cibles

Le spot publicitaire est donc, d'abord, un *spectacle*. Il est construit comme un sketch et s'édifie quasi exclusivement sur une figure auguste, et brève, du cinéma burlesque : le *gag*. Il intègre le produit, dont il vante les mérites, dans une *dramatisation* qui se termine inévitablement par un *happy end* : la découverte précisément du produit miracle qui permet d'accéder au bonheur.

---

1. Précisions fournies par la Maison de la Pub, 7, bv Bourdon, 75004 Paris.
2. Jean-Paul Simon, « Le discours marchand », *Le Monde diplomatique,* novembre 1975.

Le spot fleurit dans les marges des discours filmiques graves, sérieux, réalistes (avant et après le long-métrage dans les salles, avant et après le journal télévisé), aussi, par contraste, mise-t-il fréquemment sur le ton badin, espiègle et irresponsable. Il se fait volontiers l'héritier d'un genre disparu : l'*intermède* ou l'*interlude,* ces divertissements populaires qui séparaient les différents actes des tragédies dans les représentations dramatiques du XVIIe siècle.

C'est son aspect spectaculaire qui, sans doute, séduit les enfants, grands amateurs de spots comme on sait. Les enfants sont surtout sensibles à la *forme* et au *rythme* du spot, et moins à son objectif commercial. Mais ils retiennent les slogans ou les comptines, et deviennent des sortes de répétiteurs, des relais, des chambres d'écho reproduisant inlassablement les formules de la pub entendues. Ensuite, au centre commercial, l'enfant deviendra la voix de la publicité dans l'oreille de ses parents.

Les enfants sont une cible privilégiée des publicitaires. Il n'est pas étonnant que, selon une estimation du Syndicat national de la publicité télévisée, les annonceurs aient dépensé, en France, en 1999, plus d'un milliard de francs en spots destinés aux enfants de moins de quatorze ans. L'Institut de l'enfant, société d'études dotée d'un panel de 1 500 familles, estime qu'environ 45 % de la consommation familiale (soit 500 à 600 milliards de francs par an) est plus ou moins directement influencée par des désirs enfantins. « L'avis des quatre-dix ans joue surtout sur l'alimentaire, la confiserie, le textile, les jouets, estime Joël-Yves Le Bigot, président de cet Institut, mais ils influencent aussi 18 % des achats de voitures et 40 % du choix des lieux de vacances [1]. »

Une enquête de Conso-juniors, réalisée au début de 2000 par la Socodip auprès de 6 800 jeunes de deux à dix-neuf ans, révèle que plus d'un tiers des deux-dix ans reçoit de l'argent de poche pour une somme globale annuelle de 1,2 milliard de francs… Cette enquête révèle aussi que la publicité exerce sur

---

1. Lire Juliette Bénabent, « Les enfants, cibles des publicitaires », *Télérama,* 12 avril 2000.

les enfants une emprise forte : plus d'un quart des huit-dix ans admettent profiter de son passage à la télé pour réclamer un produit à leurs parents ; 42 % trouvent que la pub « donne envie d'acheter plein de choses », et 26 % qu'elle « aide à convaincre les parents [1] »…

L'art du pastiche

Le spot publicitaire cherche souvent à faire rire, il sait que le rire constitue la communication maximale mais, comme tout message publicitaire, il doit utiliser le langage de la clientèle, ou du moins un *code partagé*. Aussi le *gag* est-il souvent relié à un contexte culturel (notamment cinématographique) familier.

La fréquence du trucage, du fard, du dessin animé (le cinéma publicitaire est un *cinéma à effets*) révèle une fascination certaine pour la *magie* historique du cinéma, une nostalgie de l'art de Méliès.

Le pastiche y est fréquent, qui sollicite le souvenir et permet de *prolonger* le spot au-delà de sa très courte durée. En symbiose, par analogie de genre, avec les autres émissions de télévision, les spots cherchent à dissimuler leur caractère publicitaire. Ils savent que, paradoxalement, ils nous hanteront mieux, par effet subliminal, lorsqu'on les aura oubliés. Le pastiche favorise l'oubli en ramenant à la mémoire la fiction-matrice. Il facilite, d'autre part, la compréhension du spot car, tout film devant créer ses propres codes, ceux du pastiche sont connus d'avance : ce sont ceux du référent fictionnel. « Aucun autre genre, observe Jacques Zimmer, ne s'appuie aussi fortement sur la notion de film "off" [2]. » Cela lui évite une déperdition de sens.

Les exemples abondent de films publicitaires réalisés par référence à des genres cinématographiques très populaires ou à des films-événements très précis. Ils parodient, pêle-mêle, la comédie musicale (Évian), le burlesque (Peugeot, bonbons Quality Street dont le spot pastiche très précisément le film de

---

1. « Les enfants, cibles des publicitaires », art. cit.
2. *La Revue du cinéma, op. cit.,* p. 97.

Charlot *Easy Street*), le western (esquimaux Gervais, rasoirs Bic, pizza Sodebo), le film noir (Winston), le film policier[1], le conte de fées (laines Bergères de France), les séquences météo des journaux télévisés (pastilles Calmodine), les génériques (poêles Téfal, qui cite le célèbre frappeur de gong de la Rank), les émissions populaires (Auchan parodiant « Le juste prix »), et même la pub (Dunlopillo pastiche les publicités des aliments pour chiens).

Ils pastichent même de nombreux films célèbres comme : *Titanic* (Citroën Saxo), *Mission impossible* (crème épilatoire Veet), *Les Oiseaux* (yaourts Panier de Yoplait), *Microcosmos* (Blédilait croissance), *King Kong* (La Samaritaine), *West Side Story* (Wrangler), *Autant en emporte le vent* (Gold Tea), *Rencontres du troisième type* (jeans Levi's), *Lawrence d'Arabie* (lessive Dash), *La Nuit des morts-vivants* (Twix), *Little Buddha* (Bayson), *Fourmiz* (Badoit), etc.

Ce clin d'œil à des films très connus piège le souvenir et favorise la mémorisation des marques. Par exemple, au printemps 1999, 73 % des Français interrogés par Ipsos ont déclaré avoir vu le spot pour les yaourts Panier de Yoplait qui s'inspirait du film d'Alfred Hitchcock, *Les Oiseaux*.

Typologie des spots

En ce qui concerne la typologie, on peut dire avec Gilles Miroudot[2] que, d'après leur style, les spots publicitaires se classent en quatre catégories :

1. Les *comédies*. Réalisées par des cinéastes de prestige (Claude Chabrol, Georges Lautner) pour vanter les mérites d'une marque déjà largement installée sur le marché. Ces spots font abondamment appel aux grands moyens du cinéma : comédiens, décors, trucages…

2. Les « *testimonials* ». Films de témoignage, dans lesquels des personnes « prises sur le vif » témoignent de la qualité d'un

---

1. Voir François Brune, « Spots policiers », *Le Monde*, 27 janvier 1980.
2. « Entretien avec Gilles Miroudot », par Jacques Zimmer, art. cit., p. 112.

produit. C'était le cas naguère de la célèbre « mère Denis », dans des spots pour une lessive ; et plus récemment du vrai dépanneur électroménager Guy Norture dans les spots pour l'anticalcaire Calgon. Des acteurs ou des personnalités renommées comme Carole Bouquet (Chanel), Arielle Dombasle (dentifrice Diamant), Claudia Schiffer (Citroën), Véronique Genest (jambons Madrange), Bixente Lizarazu (gâteaux Paille d'or, de LU) ou Zinédine Zidane (eau Volvic) garantissent parfois les vertus d'un objet. Il arrive aussi que des personnalités publiques soient sollicitées par les publicitaires. Ainsi, aux États-Unis, Mme Roosevelt parut une fois dans un flash télévisé pour exprimer sa satisfaction d'utiliser la margarine Good Luck. Mais il faut veiller à ce qu'une star trop connue ne vampirise pas le produit ou ne résume pas à elle seule tout le message. « Dire au public : "Regardez mes stars comme elles sont belles", "Utilisez les mêmes produits qu'elles et vous leur ressemblerez", ne suffit plus, avertit Elie Ohayon, directeur général de l'agence de publicité Young & Rubicam, à Paris. Le public veut savoir ce que le produit peut lui apporter[1]. »

3. Les *lessiviers*. Ces pubs poussent scientifiquement à la vente du produit. Elles arrivent le plus souvent en France déjà testées aux États-Unis où des études ont été faites pour définir le geste exact du « spécialiste ». D'Ariel à La Croix, ces spots atteignent les meilleurs scores d'audience dans les sondages.

4. Les *esthétiques*. Ils sont réalisés par de grands photographes qui mettent en valeur la sophistication, la ligne, la plastique d'un objet. Ce sont des « natures mortes » filmées, éclairées très attentivement. Michel Certain et Jérôme Ducrot furent, dans les années 1980, les réalisateurs-photographes les plus réputés, auteurs de spots pour Braun, Marie Brizzard, Brandt, Leifheit...

Une lecture facile
Les images faciles des annonces publicitaires constituent souvent un véritable plaisir pour l'œil. Le spectateur a peu

---

1. *L'Essentiel du management, op. cit.*

d'efforts à fournir pour les lire car non seulement le langage filmique est élémentaire (gros plans et champ/contre-champ sont leur alphabet et leur grammaire) mais encore, un commentaire off assure une lecture aisée, cohérente, garantit un ordre aux images, leur donne un sens univoque, et les organise en une micro-fiction. Les spots s'imposent d'être plaisants à regarder, agréables à écouter, rapides à comprendre.

Les personnages des spots ne sont jamais choisis ou typés à la légère. Supports de désir, ils doivent établir *immédiatement* une relation de complicité avec le spectateur pour l'inciter à l'achat. Les comédiens qui les incarnent sont sélectionnés avec une rigoureuse exigence.

« Un bon acteur de pub, observe la journaliste Colette Godard, ne cherche ni la nuance ni le "naturel", mais la convention du type social qu'il représente. Il est en accord avec son apparence, il est sans ambiguïté et joue gros. Il "en fait des tonnes" sans aller jusqu'à la caricature. Il a intérêt à connaître les trucs et les effets-boulevards, ruptures de ton, gestes fonctionnels, clins d'œil fugaces et surtout rapidité. Il doit pouvoir dire les plus extrêmes banalités avec une sincérité ardente. Il est réellement déprimé sans sa bouteille de Vittel, soudainement optimiste dès qu'il l'a bue. La contraction du temps, l'absurdité des situations et des répliques se chargent de la distanciation. [...]

Chaque produit vise un ou plusieurs créneaux socio-professionnels. L'acteur de pub doit offrir les caractères correspondant aux créneaux visés. *Il doit être identifiable au premier regard.* Au second, il a déjà disparu de l'écran. Il a intérêt à évoquer une vedette, elle-même représentative d'un type social courant, rassurant. Philippe Noiret, Jean Rochefort, Jean-Pierre Marielle sont des références stables auxquelles la mode actuelle ajoute deux timides comiques, Woody Allen, le maigre sarcastique, et Jacques Villeret, le gros sensible. Le style Belmondo, trop marqué par la bagarre, n'est pas recherché. De même, dans les emplois féminins, les Bardot, au mieux, servent de "repoussoirs" à des images plus tranquilles. En revanche, la jeunesse fragile et ombrageuse de Miou-Miou – symbole de jeune fille

indépendante – est très demandée, ainsi qu'une jovialité cha-
leureuse à la Florence Blot, la fofolle de charme modèle Maria
Pacôme ou la beauté calme de Catherine Deneuve que l'on
trouve chez les mannequins.

Les stéréotypes utilisés sont en petit nombre parce qu'ils
correspondent à des créneaux vastes, donc vagues.

Mais comme la publicité n'existe que par son perpétuel
renouvellement, elle est une grande dévoreuse de têtes nouvelles, qui se ressemblent néanmoins, typées légèrement,
avant tout sympathiques. Il faut qu'elles semblent avoir été
saisies au hasard dans la foule[1]. »

Promesses de bonheur

Statistiquement, le plus grand nombre de réclames publicitaires vante surtout trois gammes de produits : en tout premier lieu les produits alimentaires et les boissons (plus de
25 % du marché) ; ensuite, l'entretien domestique, les produits d'hygiène, de beauté ou de parfumerie ; et, enfin, les
voitures, les appareils électroménagers, et les nouveaux instru-
ments de communication, comme le téléphone ou Internet.

Leurs images promettent toujours la même chose : le bien-
être, le confort, l'efficacité, le bonheur et la réussite. Elles font
miroiter une *promesse de satisfaction.*

Les spots vendent du rêve, ils proposent des raccourcis sym-
boliques pour une rapide ascension sociale. Ils diffusent avant
tout des symboles et établissent un *culte de l'objet,* non pour les
services pratiques que celui-ci peut rendre, mais pour l'*image*
qu'il permet aux consommateurs de donner d'eux-mêmes. Les
spots, par exemple, ne vendent pas un lave-vaisselle mais du
confort, non un savon mais de la beauté, non une automobile
mais du prestige ; dans tous les cas, du *standing.*

Les réclames filmées présentent à notre regard quotidien un
monde en vacances perpétuelles, détendu, souriant et insou-
ciant, peuplé de personnages élus, fiers d'être rusés et possé-

---

1. Colette Godard, « Les bons génies de la consommation », *Le Monde,*
26 juin 1980.

dant enfin le produit miracle qui les rendra beaux, propres, heureux, libres, sains, désirés, modernes… Ils présentent des modèles agréables qui donnent envie de s'identifier à eux. Dans ces modèles, c'est un peu *soi* que l'on contemple.

Comme le remarque le sociologue Pierre Kende, ces spots « s'adressent à l'individu en ce qu'il a de plus intime, de moins avouable, ils en exploitent les envies, les vanités, les espérances les plus folles. Ils lui parlent le langage de la réussite, lui promettent de le délivrer de ses petites misères et l'absolvent de ses culpabilités les plus incommodes[1] ». Les spots nous répètent jusqu'à l'angoisse : « Si vous n'avez pas le produit *untel,* votre vie est un *échec.* C'est ce produit qui donne un *sens* à votre vie. »

Les réclames filmées distraient ou amusent mais n'informent pratiquement pas. « L'art publicitaire, observe Boorstin, consiste surtout en l'invention d'*exposés persuasifs* qui ne soient ni vrais ni faux[2]. » Car le cinéaste publicitaire est, en effet, à sa manière, un *artiste,* en sympathie profonde avec l'état d'esprit de son public.

L'État annonceur

L'État lui-même ne se borne plus à s'adresser aux citoyens par des moyens traditionnels (affichage public, placards de presse, courrier postal) lorsqu'il veut avoir la certitude d'être perçu et entendu. Les campagnes publicitaires d'État se multiplient à la télévision sous forme de spots ministériels en faveur de la prévention routière, d'EDF ou de la Poste, contre le tabagisme, pour les économies d'énergie, la valorisation du travail manuel, la consommation de viande française ou le rapprochement entre Français et immigrés…

L'État est devenu de la sorte, depuis quelques années, l'un des bons clients des agences de publicité. Des temps d'antenne lui sont réservés d'office à un tarif préférentiel. Les

1. Pierre Kende, « L'information du consommateur », *Communications, op. cit.,* p. 54.
2. Cité par Jean Baudrillard dans *La Société de consommation,* Gallimard, Paris, 1978, p. 197.

spots d'État ont d'ailleurs, dans l'espace publicitaire, une place désignée : ils passent souvent en dernier, afin de mieux demeurer dans la mémoire volage des citoyens.

Leur importance politique est bien comprise du gouvernement, et, en France, durant longtemps, jusqu'aux lois de 1983, c'était le Premier ministre lui-même, par l'intermédiaire du Service d'information et de diffusion (SID), qui coordonnait les diverses campagnes proposées par les ministères. « La publicité [d'État] est signe que nous entrons dans la *société du fantasme*, explique la sociologue Laurence Bardin. On voit quelque chose qui devrait être réalisé – par exemple, l'intégration des immigrés – et on croit que c'est fait parce qu'*on l'a vu*. On ne cherche plus à agir sur le réel mais sur les images[1]. »

Aux États-Unis, en plus des clips publicitaires destinés à éloigner les enfants de la drogue, le gouvernement utilise, dans le même but, une méthode secrète en se servant du support publicitaire le plus répandu et le plus puissant de tous : les séries télévisées diffusées par les réseaux nationaux. En 1998, le Congrès avait en effet décidé de consacrer une somme de 25 millions de dollars pour inciter les producteurs à introduire dans les scénarios des émissions grand public des messages antidrogue. Quelques-unes de ces émissions – *Urgences*, *Beverly Hills*, ou même le *Drew Carey Show* – ont ainsi saupoudré, clandestinement, leurs épisodes de messages antidrogue.

Au moyen de ces spots et de ces techniques secrètes, les États tentent de persuader les téléspectateurs-citoyens qu'ils se préoccupent de leur bien-être, de leur santé et de leur qualité de vie. En fait, ils masquent souvent une évidence : qu'ils pourraient prendre effectivement (à moindre coût financier mais non politique) un certain nombre de décisions. Par exemple, en France, des décrets pour interdire toute publicité, sur tout support, en faveur du tabac et de l'alcool ; pour empêcher l'utilisation abusive du sucre dans l'industrie alimentaire ; pour limiter l'usage du diesel ; pour obliger à

---

1. Cité par Dominique Pelegrin, « La publicité qui ne vend rien », *Télérama*, 25 juin 1980.

désamianter les immeubles d'habitation ; pour protéger réellement les travailleurs immigrés et leurs familles, etc.

Les spots, à cet égard, ne proposent que du faux-semblant. Et les États confirment ainsi que nous vivons dans une « société du simulacre ».

C'est également ce qu'ont compris de nombreuses associations (on se souvient des spots de l'ARC, association de recherche sur le cancer) et organisations non gouvernementales (ONG), comme Amnesty International qui n'hésitent plus à produire des « spots humanitaires » dans le but d'inciter les téléspectateurs à aider financièrement leurs mouvements et la cause qu'ils défendent.

Marketing planétaire

Neveu de Sigmund Freud et père de la publicité américaine, Edward Bernays, en 1928, regrettait : « La politique n'a pas su adapter les méthodes du business en matière de distribution de masse des idées et des produits[1]. » D'énormes progrès, si l'on peut dire, ont été faits depuis. Aux États-Unis, dès les années 1950, la politique a intégré les spots et leur rhétorique dans son arsenal communicationnel. En période électorale, les candidats « se vendent » à leurs électeurs sous forme de *pastilles* télévisuelles qui remplacent les traditionnelles professions de foi. « Les publicités télévisées décident à 60 % de l'issue de la compétition électorale », a pu déclarer, par exemple, Gerald Greenberg, un des managers de la campagne électorale, en 1980, du candidat à l'investiture républicaine George Bush père[2].

---

1. Cité par Serge Halimi, « Marketing planétaire. Faiseurs d'élections aux États-Unis », *Le Monde diplomatique*, août 1999.
2. C'est Ronald Reagan qui sera désigné et remportera l'élection. George Bush – père de George W. Bush, candidat républicain à l'élection de novembre 2000, contre le candidat démocrate Albert Gore – fut d'abord vice-président et finalement élu président des États-Unis en 1988, puis battu par William Clinton en 1992. Lire Pierre Brieux, « L'art et la manière de vendre un président des États-Unis », *Libération,* 9 juillet 1980.

Spots publicitaires

Une étude très fouillée conduite par les chercheurs du New Study Group, du Massachusetts Institute of Technology (MIT), après analyse de tous les spots électoraux diffusés par la télévision américaine depuis la campagne de 1952 (qui opposa le général Eisenhower, républicain, au démocrate Adlai Stevenson), montre que l'image télévisée des candidats à l'élection présidentielle américaine est de mieux en mieux élaborée. Parce que des armées d'experts en communication de masse mettent au service des candidats les techniques les plus sophistiquées du marketing publicitaire afin de leur fabriquer, comme pour n'importe quelle savonnette, une « image de marque ».

Entouré de « conseillers en communication » fort habiles, Richard Nixon dépensa, en 1968, plus de 20 millions de dollars en publicité télévisée dans le seul but de s'assurer que son avance de quinze points sur son rival démocrate Hubert Humphrey ne baisserait pas plus de 1 %. Et il y parvint.

Depuis que, après 1989, le régime démocratique s'est mondialisé, les conseillers américains en marketing politique, considérés comme les meilleurs du monde, sont recrutés par des candidats de tous bords à des élections à travers la planète. Ainsi, constate Serge Halimi, « les quatre principaux "consultants" des deux campagnes présidentielles victorieuses de M. William Clinton – le trio de 1992 (MM. James Carville, George Stephanopoulos et Stanley Greenberg) et le solo de 1996 (M. Richard Morris) –, mais aussi le conseiller de plusieurs parlementaires républicains, M. Arthur Finkelstein, ont mondialisé leurs opérations.

Ils ont servi de stratèges aux dirigeants du Brésil, du Honduras, de Grèce, de l'Équateur, du Panama, de l'Afrique du Sud, du Royaume-Uni et de l'Allemagne. Sans oublier – rien qu'en 1999 – Israël et l'Argentine. Là-bas, chacun des deux principaux partis (travailliste et Likoud en Israël, péroniste et radical en Argentine) a fait appel à des conseillers américains ne connaissant presque rien du "terrain" et ne parlant ni l'hébreu ni l'espagnol. [...]

Et, en Afrique, le Français Jacques Séguéla, surtout connu pour ses campagnes au service de François Mitterrand, a aidé des "démocrates" aussi peu reluisants que les présidents Omar Bongo (Gabon) et Gnassingbé Eyadema (Togo), lequel vient d'être accusé dans un rapport d'Amnesty International d'"exactions assimilables à des crimes contre l'humanité"[1] ».

Spots politiques

Les grandes firmes publicitaires spécialisées dans les spots électoraux des candidats à la Maison-Blanche déterminent désormais, davantage que les idées politiques proprement dites, les compétitions électorales américaines. Présents sur la constellation des chaînes locales, des stations par câble, des circuits fermés vidéo, et sur leurs sites Internet, les candidats s'affrontent dorénavant dans le champ des médias à coups de spots. Et c'est souvent le meilleur spot que les électeurs-téléspectateurs choisissent, négligeant de considérer le reste, c'est-à-dire l'essentiel : le programme politique du candidat.

Selon les analystes du marché de la publicité, les candidats aux différentes élections de novembre 2000, aux États-Unis, auront dépensé environ 600 millions de dollars en spots télévisés, soit six fois plus qu'en 1972. Surtout dans les quelque 1 500 chaînes locales.

Les messages publicitaires réduisent le discours politique à ses éléments les moins séduisants, les spots ayant tendance à être synthétiques, trompeurs et agressifs. Devant l'avalanche d'argent et de publicité, l'opinion publique, saisie par l'ennui et le dégoût, se détourne de la politique. Du coup, les chaînes de télévision, le regard rivé aux taux d'écoute, s'en désintéressent elles aussi, ce qui oblige les candidats à compter encore davantage sur les spots payés comme unique moyen de faire passer leur message à la télévision.

Une enquête menée en 1998 dans vingt-cinq États américains montre qu'il y a quatre fois plus de chances que les télés-

---

1. Voir Serge Halimi, « Marketing planétaire. Faiseurs d'élections aux États-Unis », *Le Monde diplomatique*, août 1999.

pectateurs voient un spot politique qu'un reportage politique durant les informations locales en fin de soirée. Et, selon le Center for Media and Public Affairs, un groupe de surveillance des médias, la couverture de la campagne présidentielle 2000 aux États-Unis par les journaux télévisés du soir a baissé d'environ un tiers par rapport à celle de 1996 (qui était elle-même moitié moins importante que celle de 1992). Lors des primaires pour la désignation des candidats de deux grands partis – républicain et démocrate –, les grandes chaînes gratuites américaines, ABC, CBS et NBC, n'ont consacré aux propos des candidats, en moyenne, le soir, que trente secondes !

Autre mutation historique des médias durant cette campagne électorale : l'explosion des nouveaux médias d'information, le câble et Internet. Le problème est qu'un quart des Américains n'est pas abonné au câble et que la moitié ne navigue pas sur Internet[1].

Tracts électroniques contre spots

Les spots politiques ne sont pas, cependant, l'apanage des politiciens de l'*establishment*. Les contestataires aussi s'en servent en guise de tracts. Constatant qu'un Américain moyen passe de trois à cinq heures quotidiennes devant son récepteur de télévision, des publicistes de gauche fondèrent, en Californie, au début des années 1980, une singulière agence publicitaire appelée Loudspeaker (haut-parleur) en souvenir des mégaphones des « manifs » héroïques du temps de la contestation contre la guerre du Vietnam.

Avec leurs *tracts électroniques,* ils pratiquaient une sorte de « guérilla télévisuelle ». Leurs flashes publicitaires tranchaient dans le ronflement repu des spots traditionnels par leur ton à contre-courant. Ils défendaient, avec une efficacité que les grandes firmes leur enviaient, des causes écologistes, des associations de quartier, des minorités ethniques. Ils attaquaient les super-compagnies pétrolières... « La première tâche de

---

1. Paul Taylor, « Les débats de fond tués par la pub », *Mother Jones,* repris par *Courrier international,* 27 juillet 2000.

Loudspeaker, expliquait la journaliste Sylvie Crossman, est une tâche éducative. Il s'agit de persuader les citoyens concernés et les groupes d'opposition que la télévision ne leur est pas une tribune inaccessible, qu'un message télévisé bien composé, concis et spectaculaire, est beaucoup plus efficace et pas forcément plus coûteux qu'un message rédigé dans un journal ou sur une feuille volante[1]. »

Le fondateur de Loudspeaker, William Zimmermann, professeur de psychologie et ancien activiste contre la guerre du Vietnam, estimait qu'il ne fallait pas avoir honte d'utiliser le flash publicitaire pour se faire entendre : « Aujourd'hui, la classe progressiste américaine n'a pas le choix : être détruite par le système ou, ce que nous avons enfin compris, le détruire en utilisant ses propres armes[2]. »

Ce n'est, bien entendu, pas si simple. Et, d'ailleurs, Loudspeaker – comme ceux qui, en ce début de nouveau millénaire, misent tout sur Internet comme instrument privilégié de la contestation contemporaine – s'est retrouvé enfermé dans le paradoxe impossible qu'ont connu tous les contestataires qui, cherchant à « renverser l'ennemi avec ses propres armes », se sont souvent retrouvés prisonniers... des armes de l'ennemi.

Car, comme le constate l'écrivain Frédéric Beigbeder : « Le principe de la publicité est de tout recycler, y compris les rebelles[3]. » À cet égard, on a vu récemment les symboles de la révolution comme la faucille et le marteau (Self-Trade), ou les grands leaders révolutionnaires comme Marx (banque UFF), Lénine (Liberty Surf), Mao (banque UFF) Zapata (Liberty Surf) ou Che Guevara (Liberty Surf) servir de faire-valoir, dans des pubs, pour vanter la « révolution Internet ».

À ce propos, dans son livre intitulé *99 F*[4], Frédéric Beigbeder écrit : « Les dictatures d'autrefois craignaient la liberté

1. Sylvie Crossman, « Publicité télévisée pour contestataires », *Le Monde*, 4 mai 1980.
2. *Ibid.*
3. *Le Figaro*, 7 septembre 2000.
4. Paris, Grasset, 2000, p. 21.

d'expression, censuraient la contestation, enfermaient les écrivains, brûlaient les livres controversés. Le bon temps des vilains autodafés permettait de distinguer les gentils des méchants. Le totalitarisme publicitaire, c'est bien plus malin pour se laver les mains. Ce fascisme-là a retenu la leçon des ratages précédents [...]. Pour réduire l'humanité en esclavage, la publicité a choisi le profil bas, la souplesse, la persuasion. Nous vivons dans le premier système de domination de l'homme contre lequel même la liberté est impuissante. Au contraire, il mise tout sur la liberté, c'est là sa plus grande trouvaille. Toute critique lui donne le beau rôle, tout pamphlet renforce l'illusion de sa tolérance doucereuse. Il vous soumet élégamment. Tout est permis, personne ne vient t'engueuler si tu fous le bordel. Le système a atteint son but : même la désobéissance est devenue une forme d'obéissance. »

Oublier la politique
Forme privilégiée de la communication moderne, le spot publicitaire n'est pas dépourvu de perversité. Il s'adresse aux consommateurs comme aux non-consommateurs, il vend de tout à tous indistinctement, comme si la société de masse était une société sans classes. « Face à un monde angoissant, que la télévision rend présent à tous, affirme le sémiologue Louis Quesnel, la publicité évoque un monde idéal, purifié de toute tragédie, sans pays sous-développés, sans bombe nucléaire, sans explosion démographique, et sans guerres. Un monde innocent, plein de sourires et de lumières, optimiste et paradisiaque[1]. »
Auteur, il y a vingt ans, de *La Campagne permanente*[2], une décapante analyse sur l'usage du marketing politique et des sondages en période électorale, devenu ensuite conseiller en communication du président Clinton, Sidney Blumenthal, affirme que les différences politiques s'étant, selon lui, estompées,

---

1. Louis Quesnel, « La publicité et sa philosophie », *Communications, op. cit.,* p. 61.
2. Sidney Blumenthal, *The Permanent Campaign,* New York, Simon & Schuster, 1980.

les conseillers en communication sont devenus interchangeables : « Leurs techniques professionnelles peuvent être employées au service de n'importe quel objectif et dans n'importe quel endroit, en fonction des circonstances. Peu importe le programme ou le candidat[1]. »

Et cela parce que, comme l'analyse le *Wall Street Journal*, « la fin de la guerre froide et l'expansion corrélative de la démocratie et de l'économie de marché ont provoqué un déplacement de la politique vers le centre, comme c'est depuis longtemps le cas aux États-Unis. Le résultat, c'est que les campagnes électorales à l'étranger ressemblent de plus en plus, en style et en substance, à celles qu'on connaît en Amérique. Tout comme le libre-échange et l'ouverture des marchés de capitaux ont créé une économie à l'échelle de la planète, la vie politique des pays culturellement les plus divers commence à céder devant ce que le président Clinton a appelé "la logique inexorable de la mondialisation"[2]. »

Dans un tel monde, remarque à son tour, avec ironie, Marshall McLuhan, « la liberté démocratique consiste en grande partie à oublier la politique et à s'inquiéter plutôt des périls que nous font courir les pellicules, les poils disgracieux, les intestins paresseux, les seins affaissés, les déchaussements des dents et le sang "fatigué"[3] ».

Machines à désir

La mondialisation a également atteint le style des spots. Film culte aux États-Unis, un spot pour la bière Budweiser – « avachi sur un canapé devant sa télé, bière à la main, téléphone portable à l'oreille, un jeune homme, l'air un peu abruti, beugle "*Whaaasssaaah ?*", adaptation flasque de "*ça va ?*"[4] » – a reçu, en juin 2000, le grand prix au Festival international de la publi-

---

1. Voir Serge Halimi, « Marketing planétaire. Faiseurs d'élections aux États-Unis », art. cit.
2. *The Wall Street Journal*, 24 mars 1999, cité par Serge Halimi, *ibid.*
3. Marshall McLuhan, *Pour comprendre les médias, op. cit.*, p. 255.
4. *Le Point*, 7 juillet 2000.

cité à Cannes. « Plébiscité par 9 000 professionnels, écrit une journaliste, ce concentré d'humour déjanté, devant lequel toute la jeunesse américaine exulte, annonce la publicité du XXIᵉ siècle¹. » Émotion, humour, connivence, la pub s'efforce, à sa manière, de « produire de l'universel ». « Il est devenu impossible de deviner l'origine géographique d'une publicité », affirme Marie-Catherine Dupuy, responsable de la création à l'agence BDDP@TBWA, de Paris.

Si les messages purement commerciaux s'opposent et s'annulent les uns les autres, leurs supports fictionnels, en revanche, renforcent successivement, par effet pour ainsi dire subliminal, les clichés idéologiques déjà largement dominants. Ils instituent une véritable *machine à désir.*

Une enquête réalisée en 1999 par l'IREP indique que 75 % des Français ne veulent pas de violence dans la publicité, 65 % refusent de voir la mort mise en scène, et 63 % la souffrance. Le sexe (mais pas la sexualité qui est souvent suggérée²) et la nudité, pour respectivement 55 % et 35 % de Français restent aussi des thèmes tabous.

À long terme, par accumulation, les spots, quoique concurrents sur les marques, finissent par tenir un discours *identique* sur des valeurs communes. Tous répètent et accréditent les grands mythes de notre temps : modernité, jeunesse, bonheur, loisirs, abondance… Ils organisent ainsi un environnement culturel où les mêmes idées-forces reviennent constamment.

---

1. *Le Point,* 7 juillet 2000.
2. « Dès 1905, les pâtes Pol dessinaient une femme nue sur les paquets de spaghettis. En 1976, une main féminine caressait le goulot d'une bouteille de Perrier pour en faire jaillir l'eau pétillante. En 1980, la très callipyge Myriam promettait d'"enlever le bas". Le Bureau de vérification de la publicité (BVP), organisme qui donne un avis consultatif sur toutes les pubs télé avant leur diffusion, a relevé, en 1999, 15 spots à "connotation nettement sexuelle" sur les 1 000 visionnés, contre 1 ou 2 les années précédentes. » Catherine Sabbagh, « Quand la pub fait joujou avec le sexe », *Capital,* Paris, février 2000.

La femme, par exemple, reste enfermée dans une parole qui, le plus souvent, ne la reconnaît que comme objet de plaisir ou sujet domestique. Elle est traquée et culpabilisée, rendue responsable de la saleté de la maison ou du linge, de la détérioration de sa peau et de son corps, de la santé des enfants et de la propreté de leurs fesses, de l'estomac du mari et des économies du foyer. Au bureau ou à la cuisine, sur une plage ou sous la douche, sa dépendance ne varie pas : elle demeure esclave du regard du maître, l'homme la jugera quoi qu'elle fasse, et même si elle se « libère » par son travail à l'extérieur, il surveillera le hâle de sa peau, l'odeur de ses aisselles, la brillance de ses cheveux, la fraîcheur de son haleine, le relief de son soutien-gorge ou la couleur de ses collants.

Stéréotypes d'ici et d'ailleurs

L'exotisme s'exprime, dans les spots, avec le vieil arsenal de la psychologie des peuples et maintient figés dans des comportements éternels des femmes et des hommes d'un *ailleurs* qui commence souvent aux portes de la grande ville. Les agriculteurs qui garantissent le naturel et l'authenticité de certains produits alimentaires (fromages, vins, charcuteries) parlent toujours avec un fort accent du « terroir ».

S'il s'agit d'évoquer un pays lointain, on est alors condamné à contempler des images d'Épinal d'un paternalisme consternant.

Structurellement réducteur, le film publicitaire relève d'une industrie de la conscience qui recourt volontiers à des stéréotypes pour offrir une vision condensée, schématique, simple, de la vie. Il circonscrit des ensembles immuables au sein de la diversité sociale, et fonctionne comme un instrument d'*asservissement*. Il est normatif, impose des modèles de comportement, dicte des attitudes collectives. Il ignore les affrontements politiques, nie l'existence des conflits, euphorise la conjoncture, futilise les problèmes. Et acculture sans répit.

Les « films-catastrophes »,
fantaisies pour une crise

> Dans l'histoire des collectivités, les peurs se
> modifient, mais la peur demeure.
>
> JEAN DELUMEAU

Lorsqu'un vieil ordre économique, réputé efficace, se fendille, craque et menace de s'effondrer, il suscite immanquablement, dans le champ socioculturel, une nébuleuse de signes qui révèlent l'angoisse, le désarroi et les peurs des bénéficiaires de cet ordre. Dans leur confusion et leur égarement, les nantis, ignorant l'autocritique, négligent souvent de mettre en cause la logique et les principes de leur système. Ils préfèrent chercher ailleurs des raisons (toujours « imprévisibles ») pour expliquer leurs difficultés et la calamité qui les frappe. La tentation est grande alors de miser sur les forces obscures, les puissances occultes, la magie ou l'irrationnel.

À la faveur du « choc pétrolier » du début des années 1970, ce goût de l'explication magique fleurissait dans tous les domaines. Et de l'interminable craquement que ne cessaient de faire entendre la plupart des économies occidentales, un écho distordu, troublé, nous parvenait alors notamment par le détour du *cinéma*. Il émanait en particulier des États-Unis où les alarmes de la conjoncture étaient venues s'ajouter soudain aux mésaventures politiques, vécues presque simultanément (Vietnam, Watergate, émeutes raciales, dollar, pétrole) qui provoquaient déjà une grave accélération de l'inquiétude.

Indicateurs sociologiques

Par un habituel phénomène de déplacement, Hollywood entreprit, dans de telles circonstances, la production de films dont l'intrigue reposait essentiellement sur un cataclysme, un fléau, un désastre ou une catastrophe qui survenait à l'improviste et bouleversait l'harmonie fragile d'une communauté. Cette calamité, pensons-nous, possède une fonction de véritable *objet phobique* permettant au public de localiser, de circonscrire, de fixer la formidable angoisse ou l'état de détresse réelle suscité, dans leur esprit, par la situation traumatique de crise.

On ne peut guère refuser d'admettre les qualités d'*indicateur sociologique* du cinéma. L'analyse du film et de ses signes (dans la structure, le récit, la forme ou l'économie) nous permet de déceler avec assez de précision les tendances implicites de la société qui le produit[1]. Société dont il constitue, en tant que produit culturel, un des symptômes ou des *révélateurs sociaux* privilégiés.

Nous pensons qu'il existe, entre une œuvre de fiction et son univers historique, un lien essentiel que l'on peut mettre au jour. Nous estimons aussi, comme l'écrit Edward W. Said, que « comprendre ce lien n'enlève en rien la valeur artistique des œuvres[2] ».

Il est par conséquent naturel que les périodes de forte intensité conflictuelle (les crises économiques, par exemple) ou les périodes de mutation technologique (comme celle qui caractérise le passage du XXe au XXIe siècle), suscitent la création de fictions singulières qui reflètent (directement ou indirectement, de façon latente ou manifeste) les grandes

---

1. Lire, par exemple, Siegfried Kracauer, *De Caligari à Hitler,* Lausanne, L'Âge d'Homme, 1973 ; Annie Goldmann, *Cinéma et société moderne,* Paris, Denoël-Gonthier, « Bibliothèque Médiations », 1974 ; Marc Ferro, *Analyse de films, analyse de sociétés,* Paris, Hachette, « Classiques », 1976 ; et Pierre Sorlin, *Sociologie du cinéma,* Paris, Aubier, 1977.

2. Edward W. Said, *Culture et Impérialisme,* Paris, Fayard-*Le Monde diplomatique*, 2000.

angoisses, les phobies ou les perspectives d'une société tourmentée.

L'histoire du cinéma confirme d'ailleurs cette observation, et l'on note en particulier que les films expressionnistes allemands – *Le Cabinet du Dr Caligari*, de Robert Wiene (1920) ; *Le Golem*, de Paul Wegener (1920) ; *Nosferatu le Vampire*, de F. W. Murnau (1922) ; *Dr Mabuse le Joueur*, de Fritz Lang (1922) ; *Le Cabinet des figures de cire*, de Paul Leni (1924) ; *Variétés*, d'Ewald A. Dupont (1925) ; *Metropolis*, de Fritz Lang (1926) ; *M. le Maudit*, de Fritz Lang (1931) – coïncident avec la phase la plus troublée de la République de Weimar en Allemagne (1919-1933), et annoncent l'arrivée imminente du nazisme.

De même que les monstres délirants et apocalyptiques du cinéma japonais – Godzilla, Gorgo, Gappa, Gaïga, Gamera, Manda, Mothra, Megalon, Rodan – surgissent après 1945 et les cataclysmes atomiques d'Hiroshima et de Nagasaki. Les peurs les plus enfouies, les inquiétudes obscurément cachées et les anxiétés les mieux dissimulées trouvèrent, au cours de ces deux périodes symptomatiques, une forme, une expression, une incarnation sur les écrans des salles obscures, devant lesquels le public éprouva, confusément, une catharsis étrange et une intense (et parfois perverse) gratification.

Hollywood, de son côté, a toujours su mettre les crises à profit en élaborant avec un discernement remarquable des fictions sur mesure capables, dans le même temps, d'entretenir l'inquiétude et d'éloigner l'abattement. Son attitude à l'égard de la grande dépression de 1929 est particulièrement significative. Aussi, nous permettrons-nous de la rappeler.

Censures

Lorsque, à partir du jeudi 29 octobre 1929, l'économie du plus puissant État capitaliste est disloquée par le krach de la Bourse de New York, plongeant le pays dans l'abîme d'une crise économique sans précédent et provoquant brutalement une considérable augmentation du chômage, les États-Unis connaissent un phénomène surprenant : la reprise spectaculaire des affaires cinématographiques, le plein épanouissement d'Hollywood.

Non seulement les salles prolifèrent et se multiplient mais le nombre de spectateurs s'accroît de façon notable. Cela grâce à une révolution technique qui vient de se produire dans les studios : les images, jusqu'alors muettes, se sont mises à parler. Les « films chantants » d'abord, puis les « films cent pour cent parlants » remplacent triomphalement les œuvres muettes. Les recettes de l'exploitation cinématographique grossissent dans un pays frappé par la dépression où les chômeurs, de plus en plus nombreux, errent à travers le pays – comme l'a montré John Ford dans le film *Les Raisins de la colère*, 1940, adapté du roman de John Steinbeck – à la recherche d'un job pour survivre. Beaucoup viennent oublier leurs problèmes dans les salles de cinéma, comme on peut le voir dans *La Rose pourpre du Caire* (1985), du réalisateur Woody Allen.

La Warner Bros, qui était presque en faillite en 1927, refait fortune en misant à fond sur le parlant. Toutes les autres firmes, à l'échelle internationale, qui vivaient du cinéma muet, l'imitent sans tarder et connaissent, dans un environnement financier et social épouvantable, une paradoxale prospérité.

Ayant trouvé habilement une parade, une riposte à la crise et, à la fois, une sorte d'antidote contre le pessimisme qui pourrait s'emparer de la population, Hollywood apparaît, au début de la grande dépression, à l'abri des faillites et des banqueroutes qui, dans l'ensemble du pays, se répandent en traînée de poudre.

Un tel essor ne laisse pas indifférents les financiers et, en peu de temps, la Chase National Bank, du groupe Rockefeller, et l'Atlas Corporation, du groupe Morgan, prennent le contrôle des huit plus importantes compagnies cinématographiques de Hollywood, se rendant ainsi maîtresses du cinéma américain.

Mais, en cette période d'austérité et de détresse généralisée, l'engouement du public pour le spectacle cinématographique, devenu grâce au parlant beaucoup plus réaliste, est ressenti par un certain nombre d'organisations puritaines comme relevant de l'indécence. La Légion de la Décence, par exemple, exige la mise sur pied d'un véritable « code de la pudeur » pour surveiller le contenu des fictions filmées et vérifier que les « valeurs américaines » sont respectées et proposées en exemple.

Une partie de la hiérarchie catholique participe à cette campagne. Dès 1933, l'archevêque de Cincinnati (Ohio), Mgr John McNicholas déclare : « Je me joins à tous ceux qui protestent contre ces images qui représentent une grave menace pour notre jeunesse, pour la vie familiale, pour la nation et pour la religion. » Au printemps 1934, le cardinal de Philadelphie, Mgr Denis Dougherty, appelle l'ensemble des catholiques américains à boycotter la production hollywoodienne dominée par des hommes d'affaires juifs. Quelque 11 millions de fidèles répondent à cet appel[1].

Les résultats de ce boycottage ne se font pas attendre : les salles se vident et les recettes des films s'effondrent. Sous l'influence de leur président William Hays[2], les producteurs

---

1. Lire Thomas Doherty, *Pre-Code Hollywood : Sex, Immorality, and Insurrection in American Cinema*, New York, Columbia University Press, 2000 ; et Mark A. Vieira, *Sin in Soft Focus : Pre-Code Hollywood*, New York, Harry N. Abrams ed., 2000. Lire également : Robert Gottlieb, « Quand Hollywood vivait sous la censure », *The New York Times Book Review*, repris dans *Courrier international*, 3 février 2000.
2. William H. Hays (1879-1954), avocat (et ancien ministre des Postes à l'âge de vingt ans !), est considéré comme l'une des personnalités les plus néfastes du cinéma américain. En 1922, il créa l'*Organisation Hays*, une officine de délation et de terrorisme puritain qui, sous diverses dénominations, imposa à l'écran une censure semi-officielle et le cas échéant préventive. À ce titre, il encouragea la rédaction et l'application du Code Hays, véritable catalogue de tous les tabous. Parmi ses dispositions les plus extravagantes, le Code Hays interdisait de faire apparaître à l'écran, sous quelque prétexte que ce fût, le *nombril* d'une femme. On eut la freudienne explication de cette étrange obsession lors du procès en divorce de William Hays. L'avocat de Mme Hays fit valoir devant les juges que, des années durant, le vertueux censeur s'était « acharné » sur le nombril de l'épouse… *L'Encyclopédie du cinéma*, dirigée par Roger Boussinot, Paris, Bordas, 1967.

de Hollywood réagissent. Rassemblés au sein de la Motion Picture Producers and Distributors of America Inc. (MPPDA), ils avaient adopté, dès 1930, un « Code de production », rédigé par le révérend Daniel A. Lord, jésuite, et Martin Quigley, journaliste, qui édictait de strictes règles de décence pour les films. En raison de la pression des campagnes d'opinion, il va être immédiatement appliqué dès 1934.

Véritable censure, ce Code Hays, tout en veillant à la moralité des films (« La nudité ne pourra jamais être considérée comme nécessaire à l'intrigue »), visait surtout à inspecter le traitement à l'écran des problèmes politiques et sociaux. Son application relevait de la Commission du code de production, censure à laquelle toutes les productions devaient se soumettre. Elle était présidée, à cette époque, par Joseph Breen, un ardent catholique convaincu d'être investi d'une mission dans la lutte pour la pureté et la décence, qui exerça, durant vingt ans, un pouvoir absolu sur les normes morales et politiques de Hollywood.

Par conséquent, dès le début de cette grande crise économique qui lance sur les routes de l'Amérique des millions de sans-travail et qui voit, après dix ans de démantèlement, le vigoureux redressement des syndicats progressistes, toute la production hollywoodienne se retrouve contrôlée, financièrement par des banquiers, et politiquement par les puritains.

Ce double contrôle explique pourquoi les films américains, surtout durant les années les plus noires de la crise (qui coïncident avec le mandat du président Herbert C. Hoover, 1929-1933), ont très rarement abordé *directement* les problèmes politiques de la société et de l'homme américains. Plus que jamais, en ces temps d'anxiété et d'angoisse, il fallait que Hollywood fût une fabrique d'espoirs, une usine à rêves (ou à cauchemars).

Cinéma d'épouvante

L'ombre de la crise favorise déjà l'essor d'un genre de film nouveau où la dépression s'inscrit en creux dans le récit de façon évidente : c'est le « film de gangsters » ou « film noir ».

Genre réaliste qui, en toile de fond, laisse affleurer quelques aspects déprimants de la société américaine. Rappelons, par exemple, les trois films matriciels de la Warner : *Little Caesar* (1930), de Mervyn Le Roy, avec Edward G. Robinson ; *The Public Enemy* (1931), de William Wellmann, avec James Cagney ; et, surtout, *Je suis un évadé* (1932), de Mervyn Le Roy, avec Paul Muni.

Mais notre propos n'est pas d'étudier cette catégorie de films (ni son sous-genre les « films de convicts », de bagnards ou de « prisons », comme *Big-House* (1930), de George Roy Hill, dont ils sont à l'origine), qui reflètent de manière trop évidente les rapports entre crise, chômage, révoltes et délinquances.

C'est un autre genre, né également de la crise, que nous aimerions rappeler. Un genre plus névrotique, destiné à la population urbaine composée en grande partie de familles immigrées d'Europe, venues aux États-Unis en quête de l'Eldorado et qui se voient soudainement replongées dans la déchéance et l'angoisse de survivre. Un genre conçu pour s'adresser à ces Américains qui, ayant traversé dans l'euphorie les « *roaring twenties* » (les joyeuses années 1920), convaincus que rien ne pourrait jamais freiner leur irrésistible prospérité, avaient vu, terrifiés, la panique et le désarroi s'installer dans leurs foyers. Traduisant mieux qu'aucun autre la psychologie de la crise, ce genre c'est le *cinéma d'épouvante*.

Les films d'horreur – *Dracula* (1931), de Tod Browning ; *Frankenstein* (1931), de James Whale ; *Dr Jekyll et Mr Hyde*, de Rouben Mamoulian (1931) ; *La Monstrueuse Parade* (*Freaks*, 1932), de Tod Browning ; *L'Île du Dr Moreau* (*Island of Lost Souls*, 1932), d'Erle C. Kenton ; *La Momie* (1932), de Karl Freund ; *Les Chasses du comte Zaroff* (*The Most Dangerous Game*, 1932), d'Ernest B. Schoedsack et Irving Pichel ; *King Kong* (1933), de Merian C. Cooper et Ernest B. Schoedsack... – avec leurs créatures et leurs monstres inhumains, rendent la rue terne dans sa banalité. Presque hospitalière. Par rapport à l'effroi que distillent ces films, la misère semble soudain presque aimable, tolérable, bref, supportable.

Par ses moyens brutaux et cependant poétiques, le cinéma

d'épouvante va canaliser l'angoisse et l'égarement des spectateurs. Il va les dévier, les attirer à lui, les laisser exploser dans des cris de terreur, pour finalement les dompter grâce à l'inévitable *happy end* et à la comparaison avec une réalité ambiante qui, quoique difficile, ne sera jamais aussi terrifiante que l'imaginaire de ces cauchemars filmés.

Par ses affinités profondes et intimes avec la crise économique et, surtout, parce qu'il concerne le spectateur dans ses fantasmes les plus secrets et touche ce qu'on pourrait appeler ses états affectifs fondamentaux (angoisse d'abandon, perte d'identité, peur de désintégration, de castration, de dissolution, pulsion de mort...), le film d'horreur constitue, probablement, une *fiction de crise* privilégiée. Les mots les plus fréquemment utilisés par les médias, pour exprimer l'impact de la dépression sur les Américains, n'étaient-ils pas : « panique », « peur », « affolement », « stupéfaction », « effroi » ?

Imaginaire apeuré

Pour la firme Universal, en 1931, James Whale tourne *Frankenstein, l'homme qui créa le monstre* (*Frankenstein, the Man Who Made the Monster*) avec Boris Karloff dans le rôle de la créature. Le succès de cette adaptation du célèbre roman de Mary Shelley, un classique de la littérature fantastique anglaise du XIXe siècle, est immédiat et impressionnant. L'Amérique tout entière accourt s'effrayer et s'exorciser dans les salles obscures.

La même année, Tod Browning réalise *Dracula*, adapté du roman de Bram Stoker, avec Bela Lugosi dans le rôle du comte vampire, et dont l'admirable photographie est du chef opérateur allemand Karl Freund qui avait été, dans son pays, le collaborateur essentiel des plus grands cinéastes comme Friedrich Wilhem Murnau, Ewald A. Dupont et Fritz Lang durant la grande période expressionniste[1]. D'une certaine

---

1. Karl Freund fut, notamment, chef opérateur de : *Le Dernier des hommes*, de F. W. Murnau (1925) ; *Variétés*, de E. A. Dupont (1926) ; et *Metropolis*, de Fritz Lang (1926).

manière, Karl Freund (qui réalisera lui-même *La Momie*, en 1932, avec Boris Karloff) fait le lien entre ces deux périodes paroxystiques – expressionnisme et épouvante – où le cinéma, par le biais du genre fantastique et de terreur, tenta de traduire une atmosphère sociale de panique.

À la suite de ces succès, Hollywood produit de nombreux autres films d'épouvante, comme *Dr Jekyll et Mr Hyde* (1932), *King Kong* (1932), *L'Île du docteur Moreau* (1933)…

Remarquons, au passage, que, à la faveur du climat de détresse créé par la crise des années 1970, la plupart de ces fictions furent à nouveau portées à l'écran dans des *remakes*.

En quelques années, coïncidant avec le faîte de la grande dépression des années 1930, tous les grands mythes du cinéma d'épouvante trouvent leur expression filmique pour ainsi dire définitive. Sur les écrans, devant les yeux incrédules et fascinés des chômeurs désespérés, se matérialisent toutes les hantises des cauchemars enfantins. Et le Code Hays néglige de les censurer.

Toutes ces fictions terrifiantes représentent pourtant, mieux que n'importe quel « film social », l'imaginaire effrayé d'une Amérique frappée par une névrose d'angoisse. Ces films répondent, en les hystérisant, aux peurs de l'époque. Ils constituent de véritables rites de dépossession auxquels les spectateurs participent pour se délivrer de leurs obsessions quotidiennes : travail, argent, santé, subsistance…

De marchands de rêves, les producteurs hollywoodiens deviennent négociants en cauchemars. Et cela se révèle rentable, car le capitalisme américain, que la critique marxiste a décrit comme un système poussant jusqu'à la caricature le *fétichisme de la marchandise*, sut alors proposer, pour mieux traverser la crise, de nouveaux *fétiches*, plus primitifs, qui ont pour noms : Frankenstein, Dracula, King Kong, la Momie, le Loup-Garou…

« Tout se passe comme si, écrit le psychanalyste Roger Dadoun, dans le processus de fétichisation, l'industrie socioculturelle (en l'occurrence le cinéma) prenait le relais du système économique défaillant[1]. »

Effondrement de certitudes

La crise des années 1970, pour n'être pas moins ample que celle de 1929, n'en avait pas cependant les mêmes caractéristiques, car le système économique était alors moins anarchique qu'avant 1930. Toutefois, c'est précisément ce système « moderne », « fiable », « technique », « rationnel », « scientifique »… appuyé par toutes les ressources de l'économétrie et de l'informatique qui, soudain, chancelait et menaçait ruine.

C'est, il convient de le noter, sur un fond de révolution scientifique et technique (RST) et d'irruption des nouvelles technologies que se déployait déjà la crise de 1973 enclenchée par le renchérissement des prix du pétrole à l'automne de cette même année. À partir de cette date, et pendant de longues années, la progression économique américaine fut nulle et le niveau de vie des classes moyennes redescendit jusqu'à celui de 1969.

À la crise économique étaient venus s'ajouter, sur le plan intérieur, deux autres bouleversements considérables : la défaite militaire (la première de l'histoire des États-Unis) au Vietnam et au Cambodge, ainsi que l'extraordinaire scandale du Watergate qui conduira finalement à la destitution du président Richard Nixon.

Ainsi, la décennie arrogante des années 1960 venait s'échouer, à la stupéfaction du plus grand nombre, sur le chômage, la défaite et le scandale. Soudain, trois certitudes, trois piliers de la puissance américaine étaient ébranlés : l'omnipotence de l'*Armée*, l'exemplarité du *Président* et l'invulnérabilité du *Dollar*.

L'effet cumulé et diffus de ces fractures successives trouve à l'écran une illustration naïve et primitive dans des fictions d'un genre nouveau : les *films-catastrophes*.

---

1. Lire à ce sujet le texte fondamental de Roger Dadoun, « Le fétichisme dans le film d'horreur », *Nouvelle Revue de Psychanalyse*, n° 2, automne 1970, p. 227 à 247.

L'Amérique et les démons

Il faut se souvenir que, au début des années 1970, la situation de la plupart des grandes compagnies hollywoodiennes est critique. De nombreux studios ont été démantelés, leurs sièges sociaux transférés à New York, les décors et les costumes vendus aux enchères. La plupart des compagnies (à l'exception alors de la 20th Century Fox, rachetée depuis par le milliardaire australo-américain Rupert Murdoch) avaient été absorbées par des conglomérats multinationaux[1] et avaient souvent perdu leur spécificité en se réorientant vers la télévision, le disque ou l'édition. C'est la crise de 1973, paradoxalement, comme en 1929, qui va permettre, une fois encore, le redressement de Hollywood. Et cette fois de manière spectaculaire.

Cette époque coïncide avec l'apparition d'une nouvelle génération de producteurs. Ceux-ci constatent que l'effet de nouveauté de la télévision s'est amplement émoussé et que le petit écran constitue même, pour la jeunesse, le symbole de l'enfermement familial et de l'abêtissement collectif. Ces nouveaux producteurs sentent que le cinéma bénéficie d'un incontestable retour en grâce. Ils devinent aussi, avec une remarquable intuition sociologique, le désarroi politique, économique et moral de l'Amérique en crise. Ils perçoivent l'Amérique de Richard Nixon frappée par les démons (c'est l'époque où William Friedkin réalise *L'Exorciste*), minée par des forces obscures, enfermée dans une situation inextricable, trahie par la technologie. Confusément, avec le refoulé des craintes collectives, ils vont élaborer alors, artificiellement, les fictions dominantes du temps, les superproductions de la nouvelle crise.

---

1. La *Universal* fut absorbée en 1962 par le conglomérat Music Corporation of America ; *Paramount* en 1966 par Gulf and Western ; *United Artists* en 1967 par Transamerica Corporation ; *Warner Bros* en 1969 par National Kinney Corporation ; et *Metro Goldwyn Mayer* en 1969 par Kirk Kerdonian Inc.

Un récit mythique

Sorti à New York en décembre 1972, produit par Irwing Allen et adapté du roman de Paul Gallico, un film exemplaire, matriciel, va lancer le mouvement : *L'Aventure du Poséidon*, réalisé par le metteur en scène britannique Ronald Neame. Produit discrètement et mis en exploitation sans grande publicité (pour sonder l'opinion), son vif succès dépasse tous les espoirs et surprend les professionnels du cinéma.

Au sein du public, cette superproduction de choc révèle une demande de *fictions de crise* inassouvie. En s'attelant à la locomotive *Poséidon*, Hollywood, renouant avec la grande tradition d'avant-guerre, va désormais s'efforcer de combler une telle demande et du même coup de sauver la production cinématographique. Comme le reconnut Emile Buyse, directeur alors des relations internationales de la 20th Century Fox, qui déclara : « La remontée du cinéma américain s'est amorcée avec *L'Aventure du Poséidon*, film où le public a trouvé son compte [1]. »

Quel compte ? Pour l'établir, il faut se souvenir de l'intrigue : un paquebot de ligne nommé *Poséidon*, venant d'Amérique et cinglant en Méditerranée vers la Grèce, est complètement renversé par une vague gigantesque. La plupart des passagers, projetés contre les plafonds, périssent dans la catastrophe. Mais, alors que le bateau s'enfonce lentement, un petit groupe de survivants s'organise autour d'un prêtre et d'un policier. Constamment menacé par l'eau, traversant des incendies, des couloirs inondés, de frêles passerelles branlantes, ce groupe remonte péniblement, en suivant les poches d'air, vers la partie de la coque où se trouve la chambre des machines et l'hélice, espérant y trouver une issue. Ils seront délivrés par un hélicoptère de la marine.

Cette anecdote, si simple, si naïve exprime en réalité un véritable récit mythique dont le sens profond convient parfaitement au moment historique. Qu'il faille faire appel, pour une meilleure lecture du film, aux structures narratives des

---

1. *Le Film français,* 25 mars 1977.

mythes, le titre même du film (qui convoque le dieu Poséidon, seigneur, dans la mythologie grecque, des profondeurs de la mer et des séismes sous-marins) nous y autorise. Et la fiction, qui désigne comme protagoniste un prêtre (interlocuteur privilégié d'un dieu), le révérend Franck Scott, y insiste davantage.

Au cours d'un sermon que ce pasteur (interprété par Gene Hackman) prononce au début du film, avant la catastrophe, sur le pont, face au ciel, il lui reviendra d'expliciter le projet téléologique de la fiction, avec une stupéfiante clarté : « Battez-vous seuls – dira-t-il aux passagers interloqués – et la partie de Dieu qui est en vous se battra avec vous. Dieu aime les vainqueurs, il n'aime pas les vaincus. » En clair, le pasteur, qui s'adresse en fait à l'Amérique, lui reproche son manque de volonté, son défaut d'initiative, son ramollissement général, et surtout l'oubli de ses racines profondes. Il suggère, dans son long discours, aux Américains, de *retourner,* de *redresser* la situation [1]. La métaphore s'exprime, le raz de marée arrive et le sinistre, la catastrophe prend le pasteur au mot.

Pèlerinage purificateur

Les codes des actions, qui vont désormais se suivre, viendront tous s'épingler à ce noyau de signification central. Notamment l'idée de *re-naissance,* de *re-nouveau,* que nous signale très clairement la date à laquelle se produit le cataclysme : minuit du dernier jour de l'année, fête de la Saint-Sylvestre (la fête est aussi le moment de plus grande insouciance, d'irresponsabilité maximale), date de rupture, d'interruption et donc de régénération possible. Cette idée est redoublée par le long séjour des personnages dans le *ventre* du paquebot, dans les tuyaux d'aération, figurant naturellement une maturation, une incubation, une gestation. De même

---

1. Cette même métaphore du redressement, quelques années plus tard, sera reprise par le président Ronald Reagan. Ainsi, à sa « une », le quotidien *Le Monde* titrait : « Le président Reagan veut "remettre l'Amérique sur pied" », le 6 novembre 1980.

que la séquence finale où les sauveteurs tirent à la lumière, « accouchent », les rescapés en procédant à une véritable césarienne de la coque.

Il y a aussi, fortement présente, la notion d'*électivité*. C'est en s'y référant que la fiction circonscrit, choisit la dizaine de survivants protagonistes, ceux qui, après la catastrophe, décident de suivre le pasteur : ils constituent le « groupe élu ». En revanche, ceux qui refusent de partir avec lui seront, comme dans la tradition biblique, victimes d'une immense trombe d'eau, sorte de déluge, qui châtie les « incrédules ». Tandis que le petit groupe d'élus parvient à se mettre à l'abri en escaladant un arbre de Noël, symbole, comme on sait, de vie et de *régénérescence*.

Dans l'itinéraire qui commence et qui va être une longue traversée de périls, le révérend Scott fait figure de prophète et de guide du groupe élu. Il les conduit vers une nouvelle Terre promise à travers les dédales internes d'un navire en proie au feu et à l'eau. Ce voyage labyrinthique, comme ceux qu'effectuaient jadis les pèlerins démunis à travers le labyrinthe fictif gravé à l'entrée des églises (comme en témoigne celui de la cathédrale de Chartres), équivaut symboliquement à un véritable *pèlerinage purificateur*, à une pénitence de rachat (avant de l'entreprendre d'ailleurs, certains membres du groupe, considérés impurs – les femmes notamment –, ont dû se plier à un rituel de dépossession, de dénuement, d'humilité).

Le choix des *élus* ne doit rien au hasard, il se fait rigoureusement en fonction de *qualités spirituelles* très précises : trois sont des enfants et se trouvent donc à l'âge de l'innocence. Deux autres sont déjà au sens propre des pèlerins puisqu'ils se dirigeaient vers Israël, la « Terre promise » biblique. La sixième est une sorte de sainte Madeleine, une prostituée repentie prête à tous les sacrifices pour se racheter. Un autre, nommé allégoriquement Martin, se dévoue sans désemparer et ne cesse de donner des pans de sa cape symbolique. Les deux derniers, enfin, sont les protecteurs de la horde : le pasteur, chef spirituel, et le policier, force supplétive (interprété par Ernest Borgnine).

À propos des conducteurs, il est intéressant de remarquer que l'ensemble des survivants du navire, répartis en trois groupes distincts, se place sous la protection de trois entités différentes, à savoir : l'autorité légale, la science médicale et l'initiative individuelle.

Le groupe le plus nombreux écoute les ordres de l'*officier de bord* conseillant de rester sur place, d'attendre *immobiles* l'aide extérieure : tous mourront noyés. Un groupe important suit le *docteur* qui suggère d'aller *vers l'avant,* de progresser vers la proue : ils périront tous. Seul un petit groupe suit le *pasteur* et le *policier,* lesquels estiment que le salut se trouve en allant *vers l'arrière,* en reculant vers le fond du paquebot : seuls ceux-ci, qui auront refusé l'immobilisme et le progressisme, seront sauvés.

D'autres thèmes recoupent les idées directrices que nous venons d'évoquer : ceux, par exemple, de la *purification,* du *sacrifice* (le groupe n'avance, et ne se constitue précisément en groupe social différencié, que grâce aux sacrifices successifs de certains de ses membres). Celui aussi de l'*ascension,* souligné par la verticalité même de l'entreprise qui consiste à *s'élever* à travers des rampes, des échelles, des tubulures, vers l'endroit où se trouve l'*hélice* (figure mathématique de l'*infini,* qu'il nous faut lire ici comme symbole évident du salut, de la *vie éternelle*). Ils seront enfin libérés par l'équipage d'un hélicoptère qui, au sens propre, les emmène au ciel comme lors d'une résurrection. La multiplication des contre-plongées insiste, formellement, sur ce thème de l'ascension.

Spectacle naïf et cathartique

Riche en coups de théâtre, ponctué de morceaux de bravoure et de scènes inattendues, attendrissantes ou tragiques, *L'Aventure du Poséidon* est un exemple de romanesque populaire qui sait multiplier chez le spectateur les émotions nées du suspense. En tant que récit, il fonctionne sur un *modèle mythique* dont la signification ou le dessein serait de soustraire l'homme et ses valeurs à la dégradation en soutenant l'idée que les forces de l'esprit peuvent, si on le veut vraiment, *renverser* les forces matérielles.

Le succès du film tient d'ailleurs, nous semble-t-il, à son caractère proprement mythique. À ce titre, on peut même dire que c'est un « film naïf », comme on dit d'un genre de peinture (celle du Douanier Rousseau, par exemple) qu'elle est « naïve ». Vis-à-vis d'un mythe qu'il entend pour la énième fois, l'homme primitif établit toujours un rapport d'écoute éveillée et attentive. À l'égard de ce film, le public a eu, en général, la même attitude : quoique la narration soit constituée d'idées-archétypes et que le dénouement soit connu, le spectateur a pu se ré-instaurer dans une sorte d'innocence initiale, de candeur première, de pureté fondatrice pour permettre au récit de remplir son office.

On sait, d'autre part, que le passage de la narration orale à la représentation d'un mythe nécessite l'intervention d'un médiateur symbolique précis : le *masque*. Nous pensons que, dans une fiction entièrement située dans le registre mythique comme *L'Aventure du Poséidon* – mais aussi dans l'ensemble des films-catastrophes – l'élément cérémonial qui assume la puissance magique du masque est le *trucage,* cet ensemble de manipulations techniques que, très significativement, les professionnels hollywoodiens nomment les *effets spéciaux*.

Ces « effets » permettent l'organisation d'un spectacle proprement *cathartique,* de désinhibition, au cours duquel le spectateur trouve le courage de prendre conscience de sa place dans l'univers. Il voit sa vie *et sa mort* inscrites dans un drame collectif : une catastrophe qui leur donne un *sens*.

Mythes de fin

En période de crise, la fonction de la catastrophe apparaît donc évidente : elle permet de proposer au spectateur (qui en a absolument besoin pour son identité, au moment où toutes les certitudes vacillent) *un mythe de sa fin*. De même qu'en d'autres temps on lui avait proposé des *mythes d'origine* (par exemple, les *westerns* dont il ne faut donc pas s'étonner qu'ils disparaissent par temps de crise).

Toutes les descriptions complaisantes de calamités (qui peuvent être de trois ordres : naturelles, accidentelles ou criminelles) exorcisent une peur panique : celle, ancestrale, de la fin du monde. C'est d'ailleurs pourquoi, à la fin des années 1990, à l'occasion de la fin du siècle et du millénaire, dans des circonstances économiques tout à fait différentes (euphorie financière, chômage presque inexistant, croissance forte), l'Amérique a vu refleurir une nouvelle génération de films-catastrophes.

Des films comme, par exemple, *Daylight*[1], de Rob Cohen (1996) ; *Independence Day*, de Roland Emmerich (1996) ; *Volcano*, de Mick Jackson (1997) ; *Armageddon*, de Michael Bay (1998) ; *Deep Impact*, de Mimi Leder (1998) ; *Titanic*, de James Cameron (1998) ; *Godzilla*, de Roland Emmerich (1998) ; ou même *En pleine tempête*, de Wolfgang Petersen (2000), expriment ce qu'on pourrait appeler un sentiment millénariste. Ils sacrifient à l'idée ancestrale, dans la civilisation occidentale, que le changement de siècle ou de millénaire s'accompagne forcément de phénomènes redoutables, de bouleversements apocalyptiques et de catastrophes significatives[2].

En échappant à la raison humaine, et dans la mesure où la science ne peut pas la prévoir, la catastrophe, l'effondrement cosmique ou l'engloutissement cataclysmique constituent, selon ces films, de véritables défis pour toute communauté. Ces calamités exigent une réponse collective et symbolique, elles soulèvent la passion de l'artifice, du factice, qui est en même temps la *passion sacrificielle*.

---

1. *Daylight* se passe dans un tunnel sous l'Hudson, entre Manhattan et le New Jersey. Un camion explose et plusieurs survivants sont coincés dans le tunnel. À la manière du révérend (Gene Hackman) dans *L'Aventure du Poséidon*, un ancien membre de l'équipe médicale d'urgence de la ville, interprété par Sylvester Stallone, prend les choses en main… Il est intéressant de noter que, en 1934, en pleine crise économique, ce thème du tunnel meurtrier fut également illustré en Angleterre par le film spectaculaire *Le Tunnel* qui comportait d'extraordinaires scènes du désastre survenu au cœur d'un gigantesque tunnel sous l'Atlantique…
2. Ce même sentiment est exprimé par des séries télévisées comme *X-Files* ou *Millenium*.

Pour les sociétés occidentales, qui n'ont plus de rite efficace d'absorption de la mort et de son énergie de rupture, le recours au fantasme du sacrifice, à l'artifice violent de la mort, est une requête structurante contre les menaces ambiantes.

Les films-catastrophes se présentent donc comme les *simulacres* actuels de nos rites disparus. Par leur succès même, ils constituent de véritables cérémonies magiques, et collectives, de combat contre les influences maléfiques. Ils conjurent (en les représentant) les dangers qui menacent un système affligé.

En sollicitant nos peurs les plus enfouies, et nos angoisses les mieux dissimulées, ces films mettent à nu un désir inconscient d'*autodestruction*. Ils permettent d'imaginer une table rase générale et un meilleur recommencement sur d'autres bases scientifiques, morales et politiques. Ils nous offrent l'occasion d'une sorte de revanche universelle contre les normes de la raison scientifique (contre la « trahison technologique[1] ») et contre ses propres privilèges.

Apocalypse

Car toutes ces fictions s'élaborent sur un fond obscurantiste de paranoïa collective. Chaque catastrophe est certes perçue comme une faille de la raison mais, surtout, comme une défaillance inexcusable de la technique et, par conséquent, comme un *sabotage*. Si la machine civilisationnelle occidentale (américaine) se détraque, c'est parce qu'il y a une cause précise, nous disent ces films. Il faut donc proposer un *responsable*. Les films-catastrophes des années 1970 s'en chargent symboliquement : tout accident devient alors *attentat,* le hasard lui-même n'est en vérité que *subversion*.

Ce faisant ils prolongent une très vieille tradition, comme nous le rappelle l'historien Jean Delumeau : « Devant les malheurs des temps, écrit-il, on oscillait entre la conviction du complot et l'autoculpabilisation. On mettait aussi en cause l'influence néfaste de conjonctions stellaires [...]. L'Église

---

1. Ce qu'a dénoncé, en particulier, dès 1973 précisément, le film *Soleil vert* de Richard Fleischer.

apercevait l'évidence de la colère divine irritée contre les péchés de hommes [...]. En outre, la lecture sans cesse recommencée de livres eschatologiques, en particulier celui de l'Apocalypse, entretint tout au long des âges chrétiens, la conviction que les "malheurs des temps" annonçaient l'imminence du Jugement dernier[1]. »

Les films-catastrophes de la fin des années 1990, partent d'un autre constat : le monde va mal, la menace est diffuse (elle vient le plus souvent d'*ailleurs*, de l'espace, du climat, de l'environnement) parce que les êtres humains ont déréglé les équilibres écologiques[2]. Ils émettent un diagnostic semblable : l'ensemble de l'humanité porte la responsabilité des fléaux qui l'accablent et doit donc (comme dans l'Ancien Testament à la veille du Déluge universel) subir un châtiment millénariste, celui en quelque sorte du Jugement dernier. Car la fin du millénaire est, semble-t-il, l'heure de rendre des comptes. Seule l'Amérique, une Amérique qui a su se repentir, se redresser (et gagner la guerre froide comme la guerre du Golfe) peut sauver le monde.

C'est, en particulier, le message fort d'*Independence Day*, l'un des films-catastrophes les plus emblématiques de cette nouvelle fournée. Menacée par des adversaires venus de l'espace qui, dès le premier jour, rasent Washington, New York, Los Angeles, et détruisent l'aviation américaine, la planète, raconte ce film, sera sauvée par un Juif et un Noir. Le premier est un génie de l'informatique, le second un type brave et facétieux. Quant au président des États-Unis, à la fin du film, il s'autoproclame sauveur du monde : « Le 4 juillet – déclare-t-il – ne sera plus connu comme une fête américaine

---

1. Jean Delumeau, Yves Lequin (dir.), *Les Malheurs du temps. Histoire des fléaux et des calamités en France*, Paris, Larousse, 1987.

2. « Jusqu'au XIXe siècle, les malheurs des hommes furent principalement causés par la nature – écrit Jean Delumeau. De nos jours, en revanche, les calamités et les menaces d'anéantissement viennent avant tout de l'humanité elle-même. La nature autrefois n'a jamais provoqué d'hécatombes pareilles à celles qu'ont causées les deux guerres mondiales. » (*Ibid.*)

mais comme le jour où le monde a dit : "Nous allons survivre." Nous célébrons notre jour de l'indépendance. »

Les films-catastrophes proprement dits ne sont guère très nombreux. On peut typologiquement les limiter à ceux dont le scénario reprend, comme base, l'un des cataclysmes annoncés par l'évangéliste Jean dans l'Apocalypse (ce mot veut dire : révélation), un livre qui a toujours effrayé les puritains en aiguisant leur instinct de culpabilité :

– les « gigantesques déferlements des mers » inspirent : *L'Aventure du Poséidon*, *Terreur sur le Britannic*, de Richard Lester (1974), *Les Naufragés du 747*... et, plus récemment, *Titanic* ou *En pleine tempête* ;

– l'« écroulement des montagnes » : *Tremblement de terre*[1], de Mark Robson (1974), *La Tour infernale*, de John Guillermin (1975), *Avalanche*, de Corey Allen (1978) et encore *Volcano* ;

– les « embrasements du ciel » : *747 en péril*, de Jack Smight, *L'Odyssée du Hindenbourg*, de Robert Wise (1975), *Airport 80 Concorde*, de David Lowell Rich (1979), *Meteor*, de Ronald Neame (1979), et plus récemment *Armageddon*, *Deep Impact*, *Independence Day* ;

---

1. La grande innovation de *Tremblement de terre*, interprété par Charlton Heston et Ava Gardner, réside moins dans les séquences de catastrophe, d'une rare efficacité, que dans l'invention d'un nouveau système sonore baptisé « *sensurround* ». La bande sonore de ce film comportait une quatrième piste – en plus de celles des voix, de la musique et des bruitages – sur laquelle on avait enregistré des sons à basse fréquence d'origine électronique. Fréquences inférieures aux 16 à 20 Hz qui correspondent au seuil perceptible dans les graves par l'oreille humaine. En conséquence, les spectateurs ne pouvaient que ressentir une vibration en tous points comparable à celle provoquée par une secousse sismique. Des gens, paraît-il, furent fortement traumatisés par ce grondement à basse fréquence, sans savoir pourquoi. La raison était simple : l'une des techniques les plus souvent employées dans le lavage de cerveau et la guerre psychologique était venue au secours du film-catastrophe. (David Annan, *Catastrophe, The End of the Cinema*, Londres, Lorrimer Publishing Ltd, 1975, traduit en français par Eric Haldeni sous le titre *Films catastrophe*, Paris, éditions Marc Minoustchine, 1977).

– les « ouvertures béantes de la terre » : *Tremblement de terre*, et plus récemment *Daylight*.

L'action de tous ces films se déroule à l'époque contemporaine, dans un décor qui nous est familier : un lieu généralement bien circonscrit (l'unité de lieu est une condition indispensable pour qu'un film-catastrophe procure le maximum d'intensité émotionnelle). Cet espace clos peut être la planète Terre (*Independence Day, Armageddon, Deep Impact*), une ville (*Tremblement de terre, Volcano*), un tunnel (*Daylight*) ou un stade (*Un tueur dans la foule*). Mais la plupart des scénarios privilégient les moyens modernes de transport à cause de la claustrophobie et des angoisses qu'ils procurent : aéronefs (*747 en péril, Les Naufragés du 747, L'Odyssée du Hindenbourg, Airport 80 Concorde*) ; navires (*L'Aventure du Poséidon, Terreur sur le Britannic, Titanic, En pleine tempête*) ; et trains (*Super Express 109, Le Pont de Cassandra*).

La plupart des films-catastrophes s'élaborent essentiellement sur le *compte à rebours* précédant la calamité. Une lente installation de suspense constitue un élément fondamental pour la réussite dramatique du récit. Naturelle, accidentelle ou criminelle, la catastrophe permet au scénariste de *rassembler*, d'*associer* en vue d'un même objectif (le salut) des personnages différents jusqu'alors dispersés dans la fiction. Elle a la vertu, en se déclenchant, de transformer en héros des êtres tout à fait banals et quotidiens, nos compagnons de voyage ou nos voisins de palier.

Ici, point de place pour les super-héros, le genre magnifie plutôt les anti-héros, les quidams. M. Tout-le-monde qui donnerait enfin, étant donné les circonstances exceptionnelles, l'entière mesure de son héroïsme caché.

La catastrophe ne se produit jamais au début : fortement annoncée par la publicité du film (elle est généralement le *sujet* de l'affiche) et *vedette* principale de celui-ci, elle doit se faire attendre, se faire désirer. D'autre part, cela est normal, car il ne faut pas oublier que le mot « catastrophe » est, en premier lieu, un terme de rhétorique qui désigne « le dernier et principal événement d'un poème ou d'une tragédie ». Elle constitue donc, dans la durée du film, le *pivot* des actions qui divise inéluctablement la fiction en trois parties de longueur inégale : avant, pendant et après la calamité.

État d'exception

Dans tous les cas, le sinistre provoque une sorte d'*état d'exception* conférant tous les pouvoirs de la cité ou du moyen de transport aux autorités : police, armée, équipage. Présentées comme le recours ultime, ces institutions sont les seules capables de s'opposer, grâce à leur organisation et à leur technicité (mais aussi grâce à l'audace personnelle de ses membres les moins disciplinés, comme par exemple dans *Daylight, Tremblement de terre* ou *L'Aventure du Poséidon*), aux périls, aux désordres et à la décomposition qui menacent la société.

Il est intéressant, à cet égard, de noter ceci : le livre-enquête de Sebastian Junger qui raconte l'histoire véridique et tragique de l'*Andrea Gail*, petit navire avec six hommes d'équipage ayant sombré au large de Gloucester (Massachusetts) en 1991, d'où a été tiré le film *En pleine tempête* (*The Perfect Storm*) ne comporte *aucune* intervention de sauveteurs... Or le film de Wolfgang Petersen a truffé la longue séquence de la tempête de scènes, totalement imaginaires, dans lesquelles interviennent des garde-côtes, des avions, des hélicoptères et d'héroïques commandos spécialisés dans le sauvetage en mer. Comme s'il était impensable de présenter au grand public une catastrophe sans intervention des autorités et des pouvoirs publics... Il fallait à tout prix que, au-delà des personnages du récit, quelqu'un incarne et défende cet étrange mélange d'*individualisme* et de *civisme* qu'on appelle les « valeurs américaines ».

Corollaire de la précédente, une autre constante est l'*infantilisation* des civils. Ceux-ci sont souvent maintenus dans l'ignorance des dimensions réelles de la catastrophe et des risques qu'ils encourent. On les tient à l'écart de toute décision, à l'exception toutefois des *cadres* et *techniciens* (ingénieurs, architectes, entrepreneurs) qui interviennent à l'occasion de manière déterminante bien qu'ils soient toujours relayés, en fin de compte, par les appareils d'État.

On les distrait avec des spectacles niais (*Terreur sur le Britannic*) et on les encourage à obéir avec discipline à une autorité « *paternelle et bienveillante* » qui fait tout (se sacrifie s'il le faut) pour les protéger.

Ces aspects, parmi d'autres, prouvent bien que, par-delà leurs anecdotes distractives, les films-catastrophes proposent aussi des *réponses politiques* à l'issue d'une crise. Dans leur naïveté mythique, ces films, presque clandestinement, distillent un silencieux message : leur souhait profond de voir des appareils, comme l'armée ou la police, ou des « hommes providentiels », prendre en main la restauration, la reconstruction d'une société en crise, même s'il faut pour cela sacrifier partiellement la démocratie.

Prise d'otages

Absente le plus souvent, explicitement, de ces fictions, la politique se trouve au cœur de certains récits qui, sans appartenir proprement au genre, lui empruntent sa structure et ses caractéristiques mais proposent, à la place de la catastrophe, comme noyau fictionnel, un événement prémédité : la *prise d'otages*.

L'otage, comme le rappelle Jean Baudrillard, procure « un rendement symbolique cent fois supérieur à celui de la mort automobile, lui-même cent fois supérieur à celui de la mort naturelle[1] ». Le passage de la catastrophe à l'otage se fait sur le principe suivant : l'individu qui subit une catastrophe, comme celui qui est pris en otage, n'est *pour rien* dans les causes de l'aventure violente qu'il vit. Totalement immérité, et donc parfaitement artificiel, le sacrifice de l'otage, sa souffrance et son malheur sont vécus comme un scandale (non plus technologique, comme l'était la catastrophe, mais *politique*).

La parenté entre les deux thèmes apparaît clairement fixée

---

1. *L'Échange symbolique et la Mort*, Paris, Gallimard, 1977, p. 252.

dès le premier film à grand spectacle[1] réalisé sur une prise d'otages, *Les Pirates du métro* (*The Taking of Pelham 1-2-3*), œuvre hybride où l'on retrouve une situation fréquente dans les films-catastrophes (de paisibles voyageurs – ici de métro – confrontés soudain au péril de la mort). Et une intrigue, plus conventionnelle, opposant gangsters (les preneurs d'otages) et policiers.

Hormis ce film-matrice, *tous* les autres longs-métrages, réalisés dans la seconde moitié des années 1970, dont l'action a pour moteur une spectaculaire prise d'otages s'en prennent, il faut le souligner, à la *résistance palestinienne*. Celle-ci, de toute évidence, est le groupe activiste dont l'impact politique préoccupait le plus. *Raid sur Entebbe, Victoire à Entebbe, Les 21 heures de Munich,* ou *Black Sunday,* par exemple, transforment les preneurs d'otages palestiniens en véritables « anges noirs de la mort aveugle ». Ils sont la *catastrophe incarnée* et en possèdent tous les caractères d'inexorabilité. Face à eux, les forces de toujours, police et armée, sont proposées une fois encore comme les garantes de la protection civile, les modèles du corps social.

Machines bricolées

Souvent, le film-catastrophe sert également de patron fictionnel pour les récits des *révoltes animales*. Ces fictions filmées où un animal quelconque (souvent choisi en fonction de sa valeur emblématique : gorille, requin, cachalot, crocodile, serpent, bison, dinosaure... ainsi que grenouilles, rats, chiens, fourmis, abeilles...), rendu agressif par un agent inconnu (relevant fréquemment de la pollution) ou par d'imprudentes manipulations scientifiques, fait irruption dans la vie paisible d'une communauté.

Le chef-d'œuvre du genre est, bien entendu, *Les Oiseaux,* d'Alfred Hitchcock (1963). Mais, sur ce sujet, les films

---

1. Nous ne tenons pas compte ici, bien entendu, des nombreux films où la prise d'otages est à l'origine d'une fiction purement *policière,* du type *La Maison des otages,* de William Wyler (1955) ou, plus récemment, *Un après-midi de chien,* de Sidney Lumet (1977).

abondent ; citons, par exemple : *Orca, L'Île du Dr Moreau, King Kong, Willard, Les Dents de la mer, Alligator, Anaconda le prédateur, Piranhas, Godzilla, Jurassic Park,* etc.

La majorité de ces récits (aussi bien les films-catastrophes proprement dits que leurs dérivés) prennent partiellement leur origine thématique dans la controverse, pourtant surannée, que la conscience collective soulève régulièrement en se demandant s'il faut être en faveur ou pas du progrès scientifique, pour la révolution des nouvelles technologies ou contre. Ils constituent des témoignages d'admiration à l'égard de la technique et, *en même temps,* une démonstration de technophobie.

En général, filmer une catastrophe consiste à placer une machine (avion, navire, train... mais aussi gratte-ciel, tunnel autoroutier, cité moderne, stade) en situation de détresse et à prouver que, dans tous les cas, il faudra s'en remettre à l'équipage, aux autorités, ou aux professionnels du pouvoir.

En 1930, dans le cinéma d'épouvante, ce qui inquiétait c'était *l'homme bricolé* (Frankenstein, Mr Hyde, la Momie, Dracula, les créatures du docteur Moreau...) et le savant (toujours un *médecin*) qui détenait la puissance de libérer de l'irrationnel. À partir de 1974, dans les films-catastrophes, ce qui inquiète c'est la *machine bricolée* et le pouvoir détenu par les *cadres* humains qui en contrôlent les commandes.

Tous ces films sont autant l'expression d'une vision dramatique du monde qu'une mise en garde, originale et poignante, contre une technophilie trop béate. Cette mise en garde équivaut à une sorte de rite de passage qui fait *admettre* un état nouveau de la technologie tout en hallucinant ses contraintes. « Les catastrophes représentent une menace lointaine », admettait M. Samuel Z. Arkoff, président de l'American International Pictures[1]. Et il ajoutait immédiatement, en mettant l'accent sur leur aspect somme toute sécurisant (et donc favorisant, en définitive, le *statu quo*) : « Les films-catastrophes permettent à tout le monde de s'amuser sans danger. »

---

1. *Le Film français,* 4 février 1977.

L'accueil fait à ces films par le public américain au cours des années 1970 fut tellement favorable qu'il a sauvé une industrie cinématographique alors au bord de la faillite. Grâce à eux, l'indice de fréquentation des salles, que l'on croyait inexorablement condamné à diminuer, se mit à remonter (il y eut, en 1976, par exemple, 15 % de spectateurs de plus qu'en 1969). Et les bénéfices atteignirent soudain des proportions jamais connues. À l'étranger aussi, au Canada, au Japon et en Europe surtout, ces films rencontrèrent un considérable succès : les bénéfices réalisés sur ces marchés passèrent de 360 millions de dollars en 1970 à 592 millions en 1975.

Ces performances relancèrent l'activité hollywoodienne. D'autre part, les producteurs comprirent qu'à travers la demande de films-catastrophes, s'exprimait un fort désir d'*effets spéciaux*, dont ils firent la *star* principale de leurs nouvelles fictions d'alors (*La Guerre des étoiles, Rencontres du troisième type, Superman, E.T.*), répondant ainsi habilement par une accélération technologique à l'angoisse technophobique.

Paranoïa

Les studios cinématographiques (démantelés dans la plupart des pays à cause de la vogue des tournages légers, en extérieurs et sur des thèmes naturalistes) reprirent du service et se ré-équipèrent spectaculairement. Cette transformation de Hollywood rendit la concurrence du film américain encore plus difficile car les autres producteurs furent contraints de se battre sur un terrain (le film à grand spectacle avec profusion d'effets spéciaux) dont les Américains étaient devenus maîtres. « Les Français auraient tort de vouloir nous copier, avertit par exemple Emile Buyse, directeur des relations internationales de la 20th Century Fox, ils ne pourront pas nous battre sur notre propre terrain. Nous sommes bien mieux équipés qu'eux[1]. »

Lorsque certains pays, faisant fi de ces mises en garde, produisirent à leur tour des films-catastrophes (par exemple,

1. *Le Film français*, 25 mars 1977.

100

l'Italie avec *Le Pont de Cassandra* ; le Mexique avec *Survivre*, ou le Japon avec *Le Japon englouti*), ils reprirent, plus médiocrement, la même idéologie, la même silencieuse propagande que les fictions américaines. Et contribuèrent ainsi à répandre la vision américaine du monde, à servir leur impérialisme culturel par redoublement et allégeance.

D'ailleurs, le marketing de choc dont usent aujourd'hui les compagnies américaines, en consacrant jusqu'à 50 % du budget de production, en moyenne, à la promotion publicitaire de leurs super-fictions, laisse peu de chances réelles aux imitations étrangères[1]. Dans ce contexte, la concurrence est contrainte de s'américaniser (comme l'a fait le cinéaste et producteur français Luc Besson, par exemple, avec *Le Cinquième Élément*, en 1998) ou de disparaître.

Ayant sauvé le business à Hollywood dans les années 1970, le film-catastrophe a été parfois considéré comme un simple « recours commercial ». C'est une erreur. Son succès témoigne du climat culturel de crise qui régnait à cette époque aux États-Unis. Un climat bien différent de celui, triomphaliste, de la fin des années 1990. C'est pourquoi les films-catastrophes de la seconde vague – *Daylight, Independence Day, Titanic, En pleine tempête, Volcano*, etc. – n'ont pas à cet égard le même sens.

En accumulant des stéréotypes cataclysmiques, les films des années 1970 ont reflété la conscience collective (la paranoïa) des Américains en crise à un moment où leurs convictions et leurs certitudes les plus fermes (toute-puissance de l'armée, probité du président, suprématie du dollar, autosuffisance énergétique, robustesse de l'économie), pour des raisons historiques, se désagrégeaient.

---

1. Lire, par exemple, Carlos Pardo, « Marketing contre cinéma d'auteur », *Le Monde diplomatique*, mai 1998.

Kojak et Columbo,
gardiens de l'ordre médian

> L'art de la police est de ne pas voir ce qu'il est
> inutile qu'elle voie.
>
> NAPOLÉON

Les séries policières de télévision produites pour les trois grandes chaînes américaines (ABC, NBC, CBS) se sont élaborées à partir de considérations assez précises. D'abord, la nostalgie légère du *film noir* des années 1940 (débarrassé cependant de son « souci social »). Et ensuite, le succès immense que connut le personnage de James Bond (et de tous ses émules : Napoléon Solo, Matt Helm, etc.) au cours des années 1960 avant la fin de la guerre froide.

Des événements politiques survenus plus tard ont petit à petit corrigé cette double origine, et ajusté ces modèles fictionnels à la réalité contemporaine. Ainsi, par exemple, la doctrine de la « coexistence pacifique » puis la chute du mur de Berlin (1989) et, enfin, l'implosion de l'Union soviétique (1991), ont entraîné la quasi-disparition de l'anticommunisme (très insistant naguère dans des séries télévisées comme *Les Envahisseurs*, ou *Mission impossible*). Les scandales de la CIA, révélés dans les années 1970, ont également ruiné la crédibilité du personnage de l'espion ou de l'agent secret. Ceux-ci ont donc été remplacés au cours des années 1970 et 1980 par de simples « inspecteurs de police » comme Mike Stone, le héros des *Rues de San Francisco* (1972-1977), Starsky et

Hutch, de la série de même nom, ou les protagonistes de *Hawaï, police d'État* (1968-1980), *Deux Flics à Miami* (1982-1984), ou ceux de la meilleure série policière américaine des années 1990 : *New York Police Blue*, créée par le producteur Steven Bochco[1], et, bien sûr, Columbo et Kojak.

De même, la révélation des « indélicatesses » du FBI a conduit les producteurs à cesser d'utiliser ce sigle, jadis fort prestigieux. Les détectives ne sont donc plus fédéraux, ils deviennent des « privés » comme Banacek[2] (1972-1974), Magnum (1980-1988), Mannix, et Jake Axminter (héros de *Los Angeles Années 30*) ; des « amateurs » comme Mac Coy ; ou, tout simplement, des « rangers » comme le Texan Walker qu'incarne Chuck Norris.

D'autre part, les reproches d'ordre sociologique, qui accusent sans cesse ce type d'émissions de pousser les jeunes téléspectateurs à la *violence*[3], ont provoqué le gommage de scènes, d'images et de gestes excessivement agressifs. Le racisme lui-même, autrefois si « naïvement » présent, est aujourd'hui surveillé, déplacé, retenu (il existe toutefois des séries policières américaines, comme *Shaft*, dont le héros est un Noir, desti-

---

1. Créateur, dans les années 1980, de *Hill Street Blues*, une remarquable série policière, Steve Bochco a imposé avec NYPD *Blue* (1994) un nouveau style de polar, en présentant, avec réalisme, la vie quotidienne dans un commissariat où se croisent de simples flics et des vies d'une ordinaire banalité. Devenue la grande référence en matière de séries policières, NYPD *Blue* a été souvent imitée en France, par exemple par les séries *PJ, Dossier : Disparus, Frères et Flics* ou *Lyon Police Spéciale*, diffusées par France 2 et par *Police District*, diffusée par M6.
2. Personnage imaginé par William Link et Richard Lewinson, les créateurs de Columbo, Banacek (interprété par George Peppard), également spécialiste des crimes impossibles, est l'antithèse quasi parfaite de l'inspecteur de Los Angeles : il habite le quartier le plus chic de Boston, roule en limousine avec chauffeur, possède un goût très sûr pour les vêtements, est un gastronome fort raffiné…
3. Lire, par exemple, David Grossman, « On ne naît pas tueur, on le devient » (un spécialiste de l'armée américaine compare la violence télévisuelle au conditionnement des recrues qui doivent apprendre à donner la mort), *Courrier international*, 16 mars 2000.

nées à la communauté afro-américaine et en partie aux marchés africains, et dans lesquelles la violence, curieusement, se donne plus volontiers libre cours[1]).

Objectifs commerciaux

Cette docilité à l'égard de nouveaux courants d'opinion s'explique par les *objectifs commerciaux* de ces séries qui sont surtout conçues pour servir de *support* à des inserts publicitaires. Chaque épisode, d'environ une heure (cinquante-deux minutes), résulte de l'assemblage de quatre *mini-actes* (de treize minutes chacun) séparés entre eux par une séquence de *spots publicitaires* (la durée de ces séquences est fort variable, au point que parfois on ne sait pas si les spots viennent couper la continuité narrative du feuilleton policier, ou si ce sont les tranches de celui-ci qui perturbent la continuité sérielle des « pages » publicitaires ; les enfants en bas âge préfèrent d'ailleurs cette dernière continuité à celle, hoqueteuse, du feuilleton).

Chacun de ces mini-actes possède son unité d'action, sa propre progression dramatique et sa propre chute dont le suspense est calculé (comme dans certaines bandes dessinées publiées par les quotidiens) pour obliger le téléspectateur, tenu en haleine, à subir sans broncher (et sans changer de chaîne) les messages publicitaires. L'énigme finale de chaque mini-acte constitue une promesse captivante, c'est une manière de dire au téléspectateur : « Si tu regardes la *pub,* je te raconte la suite. » Donnant, donnant.

Parfois, hors des États-Unis, en France par exemple, les spots publicitaires sont supprimés, et les quatre mini-actes se retrouvent soudés, raccordés sans hiatus. La nouvelle continuité ainsi obtenue confère à ces épisodes une intensité dramatique artificielle, une célérité d'action, un rythme, un entrain, qui plaisent à un public très large. Un tel succès, en

---

1. Une première adaptation pour le grand écran de cette série fut réalisée, en 1971, sous le titre *Shaft,* par Gordon Parks. Sous le même titre, le réalisateur John Singleton a réalisé une nouvelle adaptation en 2000, avec l'acteur Samuel Jackson dans le rôle de Shaft.

raison de la diffusion massive de ces séries hors des États-Unis, érige ces fausses qualités en règles dramaturgiques universelles. Et pour ainsi dire obligatoires. Auxquelles doivent se soumettre progressivement tous les réalisateurs et toutes les fictions télévisées du monde.

La publicité réussit ainsi cette performance : modifier, même *in absentia,* la structure des récits télévisés. Cette contagion impose peu à peu à l'échelle internationale, sans que l'on y prenne garde, une espèce de style espéranto, de film-volapük impersonnel et robotisant, dont l'origine, le modèle et la norme sont déterminés par les mœurs *marchandes, commerciales, publicitaires* américaines.

Déchets fictionnels

Compléments et alibis de la publicité télévisée, ces séries n'aspirent d'ailleurs pas à un statut artistique quelconque. Elles minimisent délibérément la personnalité du scénariste ou du metteur en scène, qui peuvent changer à chaque épisode. Sur soixante-huit épisodes de *Columbo,* il y a eu des dizaines de scénaristes et pas moins de réalisateurs, dont des maîtres du 7ᵉ art comme Steven Spielberg (épisode *Le Livre témoin,* 1971) et John Cassavetes (épisodes *Symphonie en noir,* 1972 et *Le Chant du signe,* 1973).

L'existence même de certaines de ces séries dépend de leur succès public, de leur pourcentage d'écoute aux États-Unis, pourcentage constamment surveillé par les sondages. Le taux d'audience détermine aussi, bien entendu, le choix des publicitaires qui déserteront les séries boudées par les téléspectateurs, et leur désertion entraînera l'arrêt de la production.

Les annonceurs sont donc, en dernière instance, les véritables producteurs de telles séries. Lorsque celles-ci nous parviennent, en Europe, elles ne sont plus que les *restes dévitalisés* (puisque l'important, la substance, c'était la pub), les *déchets fictionnels,* les *images en surplus* d'une conception purement marchande des récits télévisés.

Sur le plan de la dépendance culturelle, comment ne pas remarquer que si ces séries américaines parviennent jusqu'à nos téléviseurs en Europe c'est, avant tout, parce qu'elles ont été plébiscitées par l'auditoire américain et donc, parce que, d'une certaine façon, elles répondent à des critères socio-culturels américains ? Quelques pays subissent, au moyen de ces séries, une double colonisation culturelle. Par exemple, les États francophones d'Afrique qui ne diffusent, de ces séries américaines, que les épisodes *choisis* par les chaînes françaises et *doublés* en langue française à Paris, en fonction de critères de sélection (thématiques, linguistiques, phonétiques, politiques) déterminés, en principe, par l'audience française.

Lucratif marché

Le rythme de production des feuilletons télévisés américains est extrêmement soutenu. La loi antitrust interdit aux trois grands réseaux d'envergure nationale (ABC, CBS, NBC) de produire les films et les séries qu'elles diffusent. Cela a favorisé le rapprochement avec les grandes compagnies de production cinématographique qui ont créé, dès la fin des années 1950, des départements « Télévision » chargés de concevoir les téléfilms pour alimenter cet immense marché.

Certaines compagnies en ont fait leur activité principale : Universal, par exemple (que la firme française Vivendi a racheté en 2000) destine au petit écran les deux tiers de sa production (elle produit les célèbres séries *Marcus Welb* ou *Ironside*, ainsi que *Kojak* et *Columbo*). Depuis 1972, il existe, aux États-Unis, un comité de coordination du film et de la télévision chargé d'étudier la « mise en série » systématique des films cinématographiques de très grand succès. Dès 1975, par exemple, la Paramount produisait neuf séries, tandis que la Universal en tournait quatorze autres.

La location de ces séries à une chaîne américaine (pour deux passages exclusifs à l'antenne) ne couvre que 75 % des coûts de production. Les 25 % restants, et les éventuels bénéfices, seront récupérés grâce à la vente à l'étranger, à la relocation aux chaînes câblées et à la diffusion via les vidéocassettes ou les DVD.

Le marché local des États-Unis représente donc une source de consommation décisive pour les séries. Ensuite, les compagnies américaines peuvent écouler à vil prix auprès des chaînes étrangères ces produits presque amortis et dont la concurrence à l'égard des feuilletons locaux se révèle souvent insurmontable pour ces derniers.

La diffusion d'un épisode de *Kojak* ou de *Columbo* coûte à la télévision française, en moyenne, dix fois moins qu'une production française de même durée. Mais il faut dire que ce prix varie selon les pays et l'audience potentielle.

Ainsi, l'Argentine, par exemple, paiera le même épisode de *Columbo* cinq ou six fois moins cher que la France. Chaque pays achète en fonction de ses propres potentialités et les États-Unis en tirent une double rente. *Économique* d'abord, et, bien sûr, car les films vendus, même au rabais, ont déjà été pour ainsi dire amortis. *Idéologique* ensuite, car, en vendant à très bas prix, ils occupent le maximum de temps d'antenne avec des productions qui proposent une conception américaine de la société[1].

Propagande clandestine

Il faut signaler, enfin, que certaines de ces séries figurent parmi les émissions les plus suivies, les plus regardées dans le monde, par le public le plus divers. « On pourrait se demander – s'interroge, par exemple, Peter Falk, l'interprète de Columbo – ce qu'ont en commun l'empereur du Japon et l'Esquimau sur sa banquise ? Apparemment rien, sauf que tous deux regardent Columbo[2]. »

Elles constituent même, strictement, les principales productions culturelles authentiquement *universelles* (leur diffusion étant plus importante que celles de la Bible, du Coran, ou de n'importe quel autre titre littéraire ou politique). Par exemple, *Kojak,* la série la plus diffusée de l'histoire de la télévision, a été vue dans près de cent vingt pays !

---

1. Voir *inf.* notre analyse des séries *Kojak* et *Columbo.*
2. Entretien avec Peter Falk, *Le Figaro-TV Magazine,* 11 mars 2000.

Voir ces émissions revient à payer, ingénument, un tribut à l'impérialisme culturel américain. Celui-ci, au moyen de ces téléfilms, nous prescrit non seulement des *modèles de récit,* mais toute une conception politique de la vie quotidienne. Dans ces séries policières, les représentants de l'ordre sont sympathiquement omniprésents, et les répressions, les délations ou les perquisitions sont toujours censées protéger les citoyens. Les « bavures » et les abus sont inconnus, ignorés ou, le cas échéant, justifiés.

Mais ces séries contiennent d'autres messages plus subtils, frôlant presque l'*effet subliminal.* En effet, toutes les grandes firmes productrices de séries (Universal, Paramount, 20th Century Fox, Metro Goldwyn Mayer…) ayant été absorbées par des conglomérats multinationaux ou par des méga-groupes médiatiques, comment ne pas les soupçonner de vouloir dissimuler, dans le maquis sémantique d'un épisode, des incitations clandestines à la consommation de leurs innombrables produits ?

« Le film est lui-même devenu une sorte d'espace publicitaire – affirme Carlos Pardo – par le biais de l'utilisation, au cours de la narration, d'objets et produits de marques bien précises. Cette méthode existe depuis la mainmise des firmes multinationales sur Hollywood et l'utilisation des films comme support de promotion des produits fabriqués par les autres filiales des groupes propriétaires. Le *nec plus ultra* en la matière réside dans le mariage entre le placement de produits lors du tournage et le *tie-in* : promotion croisée entre la campagne d'une marque, présente ou non dans le film, et celle du film lors de l'exploitation de celui-ci. Ray-Ban a ainsi triplé les ventes du modèle de lunettes porté par les héros de *Men in Black* grâce à cette méthode. En France, une demi-douzaine d'agences spécialisées dans ce genre de pratiques existent déjà[1]. »

---

1. Carlos Pardo, « Marketing contre cinéma d'auteur », *Le Monde diplomatique,* mai 1998.

En clair, nul ne peut être certain que les images de *Mannix*, par exemple, réalisé dans les années 1970 par la Paramount, ne lui vanteront pas insidieusement, clandestinement, les multiples produits du groupe pétrolier Gulf and Western, auquel appartenait à l'époque la Paramount : cigares, disques, montres, hôtels, automobiles, agences de voyages, maisons d'édition, clubs de hockey, compagnies sucrières, sociétés d'électronique, mines, aviation, etc.

La meilleure protection contre cette propagande silencieuse, contre cette pénétration idéologique insidieuse, contre ce mépris de la télévision et des téléspectateurs, consisterait à limiter la diffusion de ces séries importées des États-Unis. Parce qu'elles travaillent à l'américanisation des esprits. Il serait naïf de croire qu'un message de masse n'a pas d'autre dessein que de divertir ou d'informer. Comme le rappelle Michel Foucault : « Communiquer c'est toujours une certaine manière d'agir sur l'autre ou sur les autres[1]. »

Pour nous en convaincre, observons de plus près ce que nous disent deux des séries policières les plus diffusées (et les plus aimées) en France et dans le monde : *Kojak* et *Columbo*[2].

---

1. Michel Foucault, *Dits et Écrits*, Paris, Gallimard, 1994, p. 233.
2. Un sondage effectué en France au début de l'an 2000, classe Peter Falk, l'interprète de Columbo, comme « l'acteur étranger le plus populaire de la télévision » (*Le Figaro-TV Magazine*, 11 mars 2000). Cette popularité est ancienne, comme en témoigne le fait que, par exemple, dès novembre 1976, les présentateurs de la série, déclaraient que « le feuilleton préféré de M. Raymond Barre », Premier ministre français de l'époque, est *Columbo*. Par ailleurs, l'écrivain et journaliste Robert Escarpit, parlant de M. Raymond Barre, intitulait l'un de ses « billets du jour » du journal *Le Monde* : *Le Plan Kojak* (17 décembre 1976). Autre indice de popularité : la forte diffusion dans les années 1970 du jeu (prétendument éducatif) *Kojak, énigmes policières*, fabriqué par M.B. (Milton Bradley) en association avec Universal. Enfin, l'acteur Peter Falk put mesurer, en novembre 1984, la popularité en France du petit flic de la brigade criminelle du Los Angeles Police Department à l'accueil triomphal qu'il reçut lorsqu'il assista au 6ᵉ Festival du film et du roman policiers de Reims.

Des noms-insignes

Kojak aime les sucettes ; Columbo ne trouve jamais ses allumettes. De tels tics, et beaucoup d'autres, ne sont ni anodins ni insignifiants. Au contraire, comme les lutteurs de catch autrefois, avant que ne se répande la certitude que tout dans ce faux sport était truqué, Columbo et Kojak nous intéressent pour ce qu'ils ajoutent d'extravagant et de bizarre à leur fonction spécifique.

Songer au catch ne paraît guère déplacé si l'on se souvient que, pour attirer le public, beaucoup de lutteurs mettaient en avant des particularités physiques (précisées parfois par un surnom), ou bien choisissaient un nom d'emprunt symbolisant leurs principales qualités. Nos deux policiers sacrifient, avec quelque discrétion, à cette vieille tradition foraine.

C'est, en effet, à Kojak « au crâne rasé », et à Columbo « le borgne » que nous avons affaire. Tous les magazines de télévision insistent sur ces singularités physionomiques des comédiens Telly Savalas (1922-1994) et Peter Falk (né en 1927) interprètes respectivement de Kojak et de Columbo.

Leurs noms ne doivent rien au hasard, il s'agit de mots-devises, des sortes d'insignes (plutôt que de vrais patronymes) résumant les principales aptitudes des deux policiers.

Ainsi, le terme *Columbo* nous informe, par sa consonance transalpine, sur l'*italianité* du personnage et, par le biais de la prétendue « psychologie des peuples », nous prévient de sa volubilité, de son désordre, de son laisser-aller, de sa gestuelle, de ses goûts culinaires, de sa dimension « *commedia dell'arte* ». Columbo est donc un « Italien type » tel que l'imagine, caricaturalement, la télévision américaine.

Au départ d'ailleurs, dans un premier épisode diffusé par le réseau NBC, le 31 juillet 1960, et adapté d'une nouvelle, *Dear Corpus Delicti*[1], écrite par les créateurs de la série, William

---

1. La nouvelle était d'abord parue, en mars 1960, dans la revue *Alfred Hitchcock's Mystery*. Pour tout renseignement sur la série *Columbo*, on consultera le site www.multimania.com/columbomania (en français) créé par Frank Vandystadt avec la contribution de Nicolas Trenti, ainsi que le site www.columbo-site.freeuk.com (en anglais).

Link et Richard Lewinson, le célèbre inspecteur (qu'interpréta alors un acteur peu connu, Bert Freed) ne s'appelait pas encore Columbo mais Fisher (qui signifie « pêcheur »). C'est la firme Universal qui imposa aux scénaristes le changement du nom de l'inspecteur (et le choix de l'acteur Peter Falk) lorsque la décision fut finalement prise de lancer une véritable série dont le premier épisode fut diffusé par la chaîne NBC le 20 février 1968[1].

Par analogie de nom avec le navigateur Christophe Colomb (en anglais *Columbus*), le nom de l'inspecteur Columbo insiste sur sa perspicacité de *découvreur* (et rappelle, au passage, que le premier Euro-Américain était italien, ce qui ne peut que faire plaisir à l'importante minorité italienne des États-Unis).

Le mot *Kojak*, lui, nous renvoie plutôt à l'Europe centrale, à la brutalité des steppes. Il y a aussi, dans ce terme, comme l'indication d'un caractère bourru (*kodiak*, on le sait, est une espèce d'*ours*) mais réversible (le mot *kojak* est presque un palindrome[2], il peut se lire dans les deux sens avec une sonorité semblable).

---

1. Après une première fournée de 45 épisodes, la série fut abandonnée en 1978. Mais l'ancienne équipe de la série – l'acteur Peter Falk, les créateurs William Link et Richard Lewinson (décédé en 1987), les scénaristes Richard Alan Simmons et Dean Hargrove – décidèrent de la relancer. En 1988, les conditions étaient enfin réunies : les producteurs disposaient du budget nécessaire pour tourner quinze nouveaux épisodes (le coût moyen par épisode était de 2,5 millions de dollars) et la chaîne ABC, alors troisième réseau national américain, qui connaissait des problèmes d'audience (ses deux séries vedettes *Hotel* et *Dynasty* allaient disparaître) accepta de diffuser les nouveaux *Columbo* dans le cadre de la collection policière *The ABC Mystery Movie*, en alternance avec *Un privé nommé Stryker* et *Gideon Oliver*. La première eut lieu le 6 février 1989 avec l'épisode *Columbo Goes to The Guillotine* (titre français : « Il y a toujours un truc »). Voir *Le Dossier Columbo*, de Mark Dawidziak, Encrage éditions, Amiens, 1991.

2. Un palindrome est un mot, un vers ou une phrase que l'on peut lire indifféremment de droite à gauche et de gauche à droite, et qui conserve le même sens. Exemples : ici ; élu par cette crapule ; Esope reste ici et se repose.

Cette réversibilité est d'ailleurs contenue dans l'idée d'*ours* : animal redoutable et violent dans la nature, mais symbole de douceur et de suavité lorsqu'il devient jouet d'enfant en peluche. L'ours, d'autre part, aime le miel, et Kojak, nous l'avons dit, aime les sucettes.

À propos du choix de ce nom, les raisons commerciales semblent cependant déterminantes car on ne peut que le rapprocher, par quasi-homonymie, d'une des marques commerciales les plus universelles : *Kodak*. Ce mot, souvenons-nous, fut *créé* par George Eastman, l'inventeur de la pellicule photographique, qui avait décidé de nommer ainsi ses produits parce qu'il les destinait au marché mondial et que les phonèmes qui composent le mot *kodak* se prononcent de la même manière dans la plupart des langues connues. Cette astuce commerciale n'est certainement pas étrangère au fait que ce soit précisément *Kojak* la série télévisée la plus diffusée dans le monde.

Tenues paradoxales

La tenue vestimentaire, l'« uniforme », de nos deux inspecteurs n'est pas non plus innocente et son caractère emblématique s'impose à la première analyse. On constate qu'elle est *paradoxale* chez les deux personnages, en contraste flagrant avec le milieu dans lequel ils évoluent.

Columbo, qui n'enquête que dans les quartiers élégants des banlieues résidentielles de Los Angeles, y détonne par sa tenue. Il porte constamment des vêtements mal assortis, une vieille gabardine sale, démodée, élimée, un costume usé, une cravate négligée, et sa voiture (que l'on peut considérer comme faisant partie de son accoutrement) est une Peugeot 403 cabriolet, modèle 1960, grise, poussiéreuse et déglinguée. Son côté brouillon, ses maladresses, ses cheveux ébouriffés, son visage fripé, ses yeux mal réveillés, ses paupières clignotantes, son vieux bout de cigare éteint, son apathique chien basset (ou plus précisément, comme il sied à un détective, un limier), tout en lui s'oppose à l'allure, à l'élégance et à la prestance de ses interlocuteurs (souvent interprétés par de grandes stars de la télévision ou du cinéma) qui paraissent sortir, frais et distingués, des pages *people* d'un magazine de mode.

Kojak, dont le rôle consiste à surveiller les bas quartiers mal fréquentés et passablement sordides du 13ᵉ secteur du district South Manhattan, à New York, fait en revanche preuve d'une élégance assez criarde. Il s'habille comme un souteneur : maxi-manteaux, costumes trois-pièces (au gilet souvent de fantaisie) taillés sur mesure dans des tissus prince-de-galles, cravates fantaisie, chapeaux de classe, chaussures de prix (modèle Church), chemises brodées, chaînes en or... Son maintien de Brummell des bas-fonds le dresse contre la défroque ordinaire (blouson, jeans, baskets, casquette) de ses antagonistes.

L'habillement de Columbo et de Kojak les *distingue* nettement de l'univers dans lequel ils opèrent. On ne peut les confondre avec ceux qui les environnent. Ils ne sont pas « comme un poisson dans l'eau ». Au contraire, tout dans leur silhouette nous indique qu'ils s'y trouvent *délocalisés, déplacés, expatriés.*

Majorité silencieuse

Bien que leur apparence vestimentaire soit en franche contradiction, Kojak, par sa tenue, pourrait parfaitement figurer parmi les criminels que traque Columbo, tandis que celui-ci, par son affublement, s'intégrerait sans peine à la galerie de trimardeurs que pourchasse Kojak. Tous deux sont, dans leurs milieux respectifs, nos *semblables,* nos *délégués,* nos *vicaires.* Ils représentent la majorité silencieuse dont ils portent (l'un débraillé, l'autre endimanché) le contradictoire uniforme.

Cependant, c'est surtout dans leurs rapports avec leurs adversaires que nos deux policiers (tous deux lieutenants) dévoilent leur véritable fonction.

Minorités

Kojak lutte contre les *inadaptés* de la grande ville. Il a affaire, presque toujours, à des individus basanés appartenant à des minorités nationales ou ethniques (ces personnes se révélant souvent, en fin de compte, non coupables).

Au cours des 116 épisodes de la série, réalisée de 1973 à 1978, et diffusée d'abord sur le réseau CBS, toutes les minorités de Manhattan défilent l'une après l'autre. Depuis les plus exotiques, comme les Tsiganes, présentés en tenue traditionnelle, vivant de la bonne aventure, et prédisant l'avenir au moyen de l'éternelle boule de cristal, jusqu'aux plus violentes, à l'instar des bandes de jeunes Noirs que le scénario décrit comme de braves garçons dans le fond (ils ne sont aucunement politisés), égarés un instant par une simple tête brûlée, elle-même bientôt repentie.

Sans négliger les Portoricains, jouant inépuisablement au basket-ball dans les squares grillagés (influence sans doute de *West Side Story*, le film de Robert Wise) et vivant des amours passionnées mais contrariées avec des femmes anglo-saxonnes (même influence cinématographique) ; les Italiens qui exercent de petits métiers et demeurent très religieux ; les Polonais excessifs, les juifs nostalgiques, les Chinois énigmatiques...

Les mythes de la New York-Babel et de l'Amérique « creuset des peuples » (*melting-pot*) trouvent ici leur dernier avatar. Les minorités ethniques ou religieuses sont réduites à un ou deux traits dominants, simplificateurs, selon les lois de la caricature ou d'après la recette de la « psychologie des peuples ».

Les collaborateurs de l'inspecteur Théo Kojak aussi ont des noms venus d'ailleurs, ils se nomment : Stravos, Saperstein, Rizzo... Et lui-même appartient à l'une de ces minorités des Balkans, réservée, peu remuante, bien intégrée (on nous indique, au passage, que la contrée natale de ses parents, la Grèce, ne bénéficiait pas des avantages, ni des libertés du système américain de libre entreprise). L'origine familiale de Kojak nous rappelle, discrètement, que l'Amérique est aussi une *terre d'asile politique*.

Mission : intégrer

C'est ici que se révèle la fonction idéologique du lieutenant Kojak : tout en protégeant le système, la loi et l'ordre américains, ce policier doit, en douceur, *favoriser l'intégration et l'assimilation* des minorités. Il doit les détourner de la tentation de la délinquance en se proposant *lui-même* (quoique ses parents soient d'origine étrangère, Kojak est né et a grandi à Manhattan) comme exemple et modèle d'une *américanisation réussie.* Par ce propos, cette série réaliste, conçue à la fin des années 1960, au moment de l'explosion politique des minorités, renouvelle le mythe de l'Amérique terre d'asile et pays de la liberté, annonce l'œcuménisme civique du président James Carter et la vogue du multiculturalisme.

En France, une série comme *Navarro*, imaginée par Pierre Grimblat et Tito Topin, interprétée par Roger Hanin et regardée par 10 millions de fidèles, s'est visiblement inspirée de *Kojak*. D'autres aussi, comme *Julie Lescaut, Le Commissaire Moulin, Quai n° 1* ou *Une femme d'honneur*, diffusées par TF1, qui, avec une identique intention idéologique et sociologique, insistent sur les sujets de société : violences urbaines, racisme, chômage, banlieues, magouilles politico-économiques...

L'auteur des scénarios et inventeur du personnage de Kojak, Abby Mann, est un écrivain qui appartient lui-même à la gauche américaine et a longtemps milité en faveur des droits civiques. Il fut l'ami du leader pacifiste noir Martin Luther King, prix Nobel de la paix, assassiné le 4 avril 1968, et a réalisé, sur la vie et les combats de celui-ci, un long-métrage de trois heures, *King*, généreux et documenté. Il est également l'auteur de *The Simon Wiesenthal Story* (1989), sur la vie du célèbre chasseur de nazis.

Crimes de riches

L'univers de Columbo est plus aimable, mieux poli. Pourtant, son affaire ce sont les crimes de sang, jamais les hold-up ou les cambriolages. Ses redoutables adversaires (des meurtriers) appartiennent au meilleur monde et possèdent souvent une remarquable intelligence, se prennent pour des génies du crime, possèdent des alibis irréprochables et espèrent tous avoir réalisé le *crime parfait*. Dans cette série, la marche de l'enquête se réfère à une tradition littéraire illustrée par Edgar Allan Poe, Conan Doyle, Agatha Christie ou Simenon.

Columbo est une grosse tête qui se fait passer pour un idiot. Il furète en solitaire et les coupables potentiels se comptent sur les doigts d'une main. Ici, l'art de la déduction et la finesse du raisonnement logique l'emportent sur tous les fichiers archiprécis de Kojak. Le lieutenant Columbo peut découvrir un assassin et expliquer sa démarche criminelle à partir d'une simple petite plume de duvet trouvée sur le sol. La quête de l'indice, l'enchaînement des traces, la reconstruction d'une démarche, la raison des gestes excitent sa perspicacité. Columbo ne croit pas en l'apparence des choses et, tel un nouveau Sherlock Holmes ou inspecteur Maigret, il recherche le *désordre voilé*.

« Il veut toujours comprendre comment ça marche, explique Peter Falk, il a la curiosité d'un enfant. Il n'a pas le moindre amour-propre mal placé, pas une once d'orgueil. Il veut juste comprendre comment les choses marchent. Je crois que c'est ce que le public aime à son propos[1]. »

Énigmes renversées

Les épisodes de *Columbo* ont toujours une structure identique, celle de l'*énigme inversée*, et leur anecdote est rituellement divisée en deux périodes, deux temps. D'abord une longue séquence d'exposition nous montre l'homicide et nous informe donc sur la personnalité du meurtrier et sur le procédé de mise à mort (seuls quelques très rares épisodes, comme, par exemple, *Double Choc*, *La Montre témoin*, *À chacun son heure*, *Un seul suffira* et *Columbo change de peau*, échappent à cette trame et l'assassin demeure inconnu des téléspectateurs jusqu'à la fin).

---

1. Entretien avec Peter Falk, art. cit.

L'inspecteur Columbo n'intervient qu'au cours de la seconde partie et son enquête nous intéresse, nous téléspectateurs, non pas parce qu'il va nous révéler (comme Hercule Poirot, Le Saint ou l'inspecteur Bourrel) l'identité de l'assassin mais parce que nous pouvons, en connaissance de cause, *vérifier, surveiller* s'il conduit adroitement son investigation et *admirer* sa technique investigatrice. Ayant été, grâce à la première partie, *initiés* aux mystères et aux arcanes d'une énigme policière, nous sommes conviés à crier « chaud ! » ou « froid ! » chaque fois que Columbo s'approche ou s'éloigne d'une des clés de l'énigme.

Comme nous connaissons le meurtrier, nous pouvons mieux apprécier les longues conversations (il ne s'agit pas d'interrogatoires) que Columbo entretient avec les suspects et au cours desquelles, tout en évoquant des sujets disparates (il est souvent question de l'épouse – invisible – de Columbo[1], de son chien ou de son goût pour le cinéma), le détective glane des renseignements déterminants pour sa quête.

Les coups de théâtre sont rares dans cette série dont la singularité repose sur le tempérament obstiné de Columbo, sur son habileté à questionner le coupable, sur la hargne avec laquelle, mine de rien, il le harcèle et, bien entendu, sur le brillant de l'explication finale où l'inspecteur évoque, une à une, toutes les données du crime.

Quoique attendue, la victoire de Columbo est particulièrement gratifiante à cause de la personnalité des meurtriers : des gens riches, beaux, arrogants, fiers de leur quotient intellectuel, et vaguement méprisants à l'égard du petit lieutenant de police. Le téléspectateur constate comment Columbo, qui possède tous les signes de l'homme ordinaire, et même les

---

1. Pour protester contre les incessants dépassements de budget de la série *Columbo*, la chaîne NBC mit donc fin, en 1978, à la carrière du plus célèbre policier du petit écran après dix ans de diffusion et quarante-cinq épisodes. Elle décida alors de la remplacer par une série mettant en scène précisément Mme Columbo (interprétée par Kate Mulgrew) qui fut un échec et ne dépassa pas la douzaine d'épisodes.

allures ou l'apparence d'un *raté*, donne une bonne leçon à ceux que la vie a trop comblés, et à qui la *réussite* avait fait tourner la tête. « Ils sont beaux, riches et intelligents et ils auraient pu s'en contenter, dit Peter Falk, mais ils ont voulu plus[1]... »

La sympathie (indéniable) que suscite Columbo provient aussi du fait qu'il n'utilise jamais la moindre technologie dans ses enquêtes : point d'analyses de laboratoire, guère de relevés d'empreintes, pas même une simple loupe à l'instar de Sherlock Holmes, jamais de revolver (ses supérieurs le harcèlent pour qu'il aille se soumettre à l'exercice obligatoire et périodique de tir qu'il avoue ne pas pratiquer depuis des années). Nulle violence. Columbo est donc, en effet, un policier *colombe*.

Toutefois, si l'affaire se corse, on le verra alors, sans le moindre ménagement, malmener « le maillon le plus faible » de l'alibi adverse, souvent une femme à qui, cyniquement, il déclarera : « Nous insisterons jusqu'à ce que vous craquiez. » Et le gentil Columbo de faire appel en conséquence à toute la machinerie policière : voitures radio, écoutes téléphoniques, rondes, filatures, simulacres...

C'est que sa fonction, sous des allures débonnaires, est sérieuse, sévère, rigoureuse : il s'agit de protéger ceux qui lui sont semblables, la *middle class*, l'immense petite bourgeoisie, contre les excentricités criminelles d'une élite privilégiée. « Columbo va triompher, écrit un journaliste, et les modestes, les humbles, les simples qui sont le plus grand nombre, vont triompher avec lui. On oublie le machiavélisme du lieutenant, le cynisme de certaines de ses ruses, puisqu'on est sûr qu'ils servent à démasquer un affreux criminel[2]. »

Les riches et les puissants, nous disent en substance les épisodes de *Columbo*, se croient tout permis. Heureusement que l'affable inspecteur Columbo, *avec les moyens de tout le monde,*

---

1. Entretien avec Peter Falk, art. cit.
2. Voir *Le Figaro-TV Magazine*, 14 janvier 1981.

se charge de les rappeler à l'ordre, d'appliquer la loi et de les mater sans se priver, au passage, de les ridiculiser.

L'ordre médian

« Le rôle essentiel de l'institution policière dans la société, rétablir l'ordre, est ainsi réaffirmé, écrit Muriel Favre, et, comme la construction narrative permet l'identification du téléspectateur au héros, l'ordre établi se trouve légitimé. La forme sérielle renforce encore ce caractère conservateur, puisque la série, qui repose sur la répétition, répond aux attentes du téléspectateur et confirme ses repères à chaque épisode[1]. »

Ainsi, postés aux deux extrêmes de l'idéologie dominante, les lieutenants de la police américaine Kojak et Columbo, protecteurs de la classe moyenne, surveillent à longueur de série leurs frontières respectives.

En amont, côté « gratin », le lieutenant Columbo moralise, stigmatise, démasque et sanctionne la conduite criminelle des milliardaires cosmopolites, des fortunés arrogants, des riches sans patrie et sans vertu. En aval, côté peuple, l'inspecteur Kojak ordonne, surveille, normalise, américanise la montée des minorités ethniques, des groupes et des marges.

---

1. Muriel Favre, « Les policiers », dans Jean-Noël Jeanneney, *L'Écho du siècle. Dictionnaire historique de la radio et de la télévision en France*, Paris, Hachette Littératures, 1999.

Hollywood et la guerre du Vietnam

Comment dire que je suis un assassin ?
Je traîne mon ombre comme un sac de corps
abandonnés.

MORTON MARCUS

Avant le Vietnam, l'Amérique avait livré, depuis 1940, deux autres guerres importantes en Asie : contre le Japon (1941-1945), et contre les communistes en Corée (1950-1954). Chacune d'elles a inspiré un nombre considérable de films. Il n'est certainement pas inintéressant de se rappeler, avant de se pencher sur le cinéma de la guerre du Vietnam, les principales caractéristiques de ces films antérieurs consacrés aux autres guerres d'Asie.

Racisme anti-jaune
Tout commence le 12 décembre 1937 lorsqu'un avion japonais, probablement par mégarde, lança quelques bombes sur le navire de la marine de guerre américaine USS *Panay* croisant au large du Yang-tseu-kiang. À bord du vaisseau américain, providentiellement, se trouvaient deux opérateurs d'actualités, Norman Alley et Eric Mayell qui purent filmer, sans grand risque, l'insolite événement. Promptement récupérées par le Pentagone, leurs images, remontées avec habileté et agrémentées d'un commentaire dramatique, devinrent *Le Bombardement du Panay*, premier film de propagande férocement anti-japonais.
Dans la foulée, en prévision d'une éventuelle entrée en

121

guerre contre le Japon, la marine américaine élabora pour ses recrues un court-métrage d'instruction intitulé *Tuer ou être tué,* dans lequel elle affirmait, avec une gravité toute troupière : « Le Japonais est le guerrier le plus ignoble, le plus cruel du monde. Il nous faut donc le battre avec ses propres armes. »

Ainsi, d'emblée, ces deux *films de propagande* désignaient officiellement les principales singularités (cruauté, ignominie, trahison) qu'il conviendrait désormais de rappeler systématiquement au sujet des Nippons.

Dès le début des hostilités dans le Pacifique, après le bombardement de Pearl Harbor, le 7 décembre 1941, Hollywood participe à la guerre psychologique. Le réalisateur John Ford est engagé par la US Navy et dirige une série de documentaires de propagande dont les plus connus sont : *The Battle of Midway* (1942), *Torpedo Squadron 8* (1942), *December 7th* (1942) et *We sail at Midnight* (1943). Les films anti-jaunes, comme *Guadalcanal Diary* (1943) de Lewis Seiler, *Bataan* (1943) de Tay Garnett, *Gung Ho !* (1944) de Ray Enright, *Corregidor* (1944) de William Nigh se succèdent, répétant sans cesse les mêmes clichés racistes, confondant inlassablement opposition idéologique et différence ethnique. Selon ces films, le Japonais n'est point ennemi parce que fasciste ou militariste, mais simplement parce que « jaune ».

Tourné en pleine guerre, un film notamment, *Prisonniers de Satan* (1944) de Lewis Milestone, attisera encore la haine raciale en montrant avec complaisance les mille et un supplices que d'implacables geôliers nippons infligeaient aux pilotes américains faits prisonniers. Des sévices tout aussi atroces feront s'exclamer au protagoniste de *Diables de Guadalcanal,* 1951, de Nicholas Ray : « Les Japonais ne méritent pas de vivre. » Souhait que John Wayne exaucera bien souvent, surtout dans *Iwo Jima,* 1950, d'Allan Dwan, en chantant la joie de rôtir les Jaunes au lance-flammes.

Lavages de cerveau

La guerre de Corée, qui coïncide avec le maccarthysme (et, à Hollywood, avec la « chasse aux sorcières »), favorise la production de films rageusement anticommunistes, comme *J'ai vécu l'enfer de Corée* (1950), et *Baïonnette au canon* (1951), tous deux de Samuel Fuller, ou *Une minute avant l'heure H* (1952) de Tay Garnett, *Retreat Hell!* (1952) de Joseph H. Lewis, *Le Cirque infernal* (1952) de Richard Brooks, et *La Prison de bambou* (1955), de Lewis Seiler. Dans un tel conflit, les esprits apparaissent aussi menacés que les corps et le « lavage de cerveau » sera présenté – en particulier dans *Un crime dans la tête* (1962), de John Frankenheimer – comme la torture spécifique des communistes jaunes.

Pour résister à de telles perversités asiatiques, la plupart de ces films proposent de se référer fermement à un seul modèle : l'armée. Et ils identifient imperturbablement qualités militaires, vertus guerrières, et valeurs américaines.

Métaphores anti-guerre

Avec le conflit vietnamien, quelque chose change enfin à Hollywood, et l'exception remarquable de *Bérets verts*, film chauvin, militariste et raciste, réalisé par John Wayne et Ray Kellog en 1968, ne doit point nous masquer une évidence centrale : contrairement à son attitude durant les deux autres guerres d'Asie, cette fois il n'y a pas eu de films pour soutenir l'engagement américain en Indochine tant qu'il dura. On peut même affirmer que, durant la période la plus dure de la guerre du Vietnam (1968-1972), les films antimilitaristes et antibellicistes furent étonnamment nombreux.

Certes, pour éviter les censures ou les boycottages, ces films prirent la précaution de situer l'intrigue loin du Vietnam, mais les paraboles, les métaphores et les allusions étaient trop claires pour qu'on s'y trompât. *Soldat bleu*, de Ralph Nelson, et *Little Big Man* d'Arthur Penn avaient les guerres indiennes de la seconde moitié du XIXᵉ siècle dans l'Ouest américain pour cadre, on y vit pourtant nettement une référence aux massacres perpétrés par des militaires américains dans le village vietnamien de My Laï.

Johnny s'en va-t-en guerre, de Dalton Trumbo, traitait des mutilés de la Grande Guerre ; *Abattoir 5*, de George Roy Hill, et *Catch 22*, de Mike Nichols, se déroulaient durant la seconde guerre mondiale ; *MASH*, de Robert Altman, durant la guerre de Corée. Tous ces films cependant parlaient du Vietnam, des souffrances inutiles, des morts absurdes, de la guerre pour rien.

Une télévision engagée

Si le cinéma hollywoodien évoqua en effet peu souvent, directement et frontalement, le conflit vietnamien, la *télévision*, en revanche, le « couvrit » complaisamment. Elle soutint frénétiquement les thèses du Pentagone et valorisa *ad nauseam* les péripéties ordinaires du corps expéditionnaire américain.

Rappelons que la guerre du Vietnam dura quinze ans, de 1960 à 1975. Le Front de libération du Sud-Vietnam se constitua le 20 décembre 1960, environ six semaines après l'élection de John F. Kennedy. Dès le début de l'année suivante, celui-ci jeta les Forces spéciales américaines dans la guerre en violation des accords de Genève de 1954.

Puis ce fut l'escalade déclenchée par le président Lyndon B. Johnson à la fin des années 1960 avec le bombardement du Nord et de sa capitale Hanoi. Après vint la « vietnamisation » de la guerre, décidée par le président Richard Nixon et son secrétaire d'État Henry Kissinger. Enfin, les États-Unis se replièrent, et le gouvernement de Saigon et son armée s'effondrèrent le 30 avril 1975.

Pendant toutes ces années-là, la radio et la télévision proposèrent des bulletins à l'échelon national et local, matin et soir. Il y eut également des émissions spéciales avec interviews et magazines, des documentaires, des séances du Congrès, des conférences de presse, des discours électoraux consacrés à la guerre du Vietnam. Ce conflit fut le thème journalistique le plus longuement traité par le petit écran dans toute l'histoire des informations télévisées américaines.

Une étude très précise a été effectuée par le sociologue George Bayley[1] sur la manière dont les réseaux américains

---

1. George Bayley, « *Television War : Trends in Network Coverage of Vietnam 1965-1970* », *Journal of Broadcasting*, Washington, printemps 1976.

(ABC, CBS, NBC) rendirent compte de cette guerre durant les années 1965-1970[1]. Cette période est importante dans la mesure où elle comprend, d'une part, l'escalade imposée par le président Johnson et, d'autre part, le début du désengagement avec le retrait progressif des troupes décidé par Richard Nixon. Pendant ces cinq années, chacun des trois réseaux télévisés consacra une importante partie de son téléjournal quotidien (d'une durée de quinze minutes) au conflit.

Cela cependant ne signifie pas que la guerre ait été commentée tous les jours. En fait, la fidélité à ce sujet varie selon le réseau : CBS a couvert la guerre le plus souvent et en a parlé 83 % des jours durant ces cinq ans, contre NBC 78 % et ABC 72 %. Bien entendu, lors des grandes crises (premiers raids des B 52, envoi massif de troupes, offensives du Têt, batailles de Ia Drang, Con Thien, Khe Sanh), le temps d'antenne consacré à la guerre a suivi les montées de l'action et certaines semaines le conflit a été évoqué *tous* les soirs.

Informations partiales

Presque la moitié des informations sur la guerre concernaient soit les actions militaires sur le terrain, soit les activités de l'aviation ; et environ 12 % d'entre elles étaient des *citations* de déclarations officielles des deux gouvernements (Washington et Saigon). Le point de vue de l'ennemi n'est fourni que par 3 % de l'ensemble des informations diffusées. Ce chiffre indique assez explicitement combien la télévision américaine fut partiale dans sa version des événements du Vietnam.

L'impact de la guerre aux États-Unis, les manifestations pacifistes, les marches pour la paix, la destruction par le feu des livrets militaires, les protestations universitaires, tout cela fut également minimisé, et la télévision (tous réseaux con-

---

1. Il est intéressant de savoir que, si les documents sur cette période existent et ont été conservés, c'est parce que le Pentagone avait demandé à ses services d'enregistrer toutes les informations concernant la guerre du Vietnam pour pouvoir étudier et améliorer l'image publique de l'armée américaine.

fondus) n'y consacra que 5 % de ses informations. À propos de la partialité dans le compte rendu de la guerre, le sociologue George Bayley note d'ailleurs qu'« à peu près tous les résumés quotidiens des combats provenaient des services de relations publiques de l'armée ».

Désinformation

Ces services de relations publiques avaient dépensé, pour la seule année 1971, plus de 200 millions de dollars dans le but de proposer au grand public la meilleure image possible de l'armée. Dans un documentaire extrêmement précis de Peter Davis, *The Selling of the Pentagon* (*Comment on vend le Pentagone*, 1971), un ancien officier des services d'information raconte comment, au Vietnam, il s'efforçait d'*orienter*, de *conseiller*, de *désinformer* les journalistes venus enquêter sur le terrain. Une équipe de reporters de CBS fit, en particulier, les frais de sa fonction. Elle réalisait un reportage sur les bombardements du Vietnam du Nord et s'était adressée à lui pour trouver des témoignages de pilotes américains. L'officier lui fournit effectivement les pilotes, mais après avoir dûment chapitré ceux-ci auparavant sur ce qu'il convenait de dire et, surtout, de taire.

« De la même façon, les services d'information montaient des opérations *bidon* de troupes gouvernementales sud-vietnamiennes. Elles étaient filmées par les services officiels qui envoyaient ensuite les reportages aux petites stations américaines qui n'avaient pas les moyens d'envoyer des équipes au Vietnam[1]. »

Trois millions de morts

C'est pour s'opposer à cette version expurgée d'une « sale guerre » que des cinéastes pacifistes, indépendants, entreprirent à la fin des années 1960 (coïncidant avec la campagne électorale qui opposait Nixon au candidat démocrate Mac Govern) de dénoncer, au moyen de *documentaires politiques,* le scandale de l'intervention armée de leurs pays contre le Vietnam. Leurs

---

1. *Le Monde,* 3 mars 1971.

documentaires, mieux que des longs-métrages de fiction, témoignèrent de l'exceptionnelle cruauté d'un affrontement qui causa la mort de 58 000 Américains et de plus de 3 millions de Vietnamiens. Et encouragèrent ainsi, pour la première fois dans l'histoire militaire de leur pays, une importante partie de la nation à se désolidariser de ses soldats en campagne.

Dans *In the Year of the Pig* (*Vietnam, année du cochon*, 1969), Emile de Antonio tenta le premier d'expliquer les raisons profondes de la guerre et d'en analyser les conséquences. Avec des méthodes d'archéologue, de Antonio étudia une énorme quantité d'images d'archives depuis l'époque de la colonisation française et parvint, brillamment, à démontrer deux choses : la longue préméditation de l'intervention américaine, et le caractère selon lui inéluctable de la défaite militaire des États-Unis.

Les signes avant-coureurs de cet échec, un cinéaste de génie, Joseph Strick, les repéra dans son film *Interviews with My Laï Veterans* (1970) dans la crânerie et la suffisance qu'affichaient publiquement le lieutenant Calley et ses sinistres compagnons, soldats transformés, par la grâce de l'armée, en criminels de guerre, véritables *machines de mort* après avoir subi les entraînements déshumanisants que le grand documentariste Frederic Wiseman dénonça dans *Basic Training* en 1971.

Paul Ronder, dans *Un membre de la famille* (1971), enquêta auprès des parents de jeunes soldats morts au Vietnam et appela, franchement, à l'insoumission. Ce que fit également, avec un humour féroce, le documentaire FTA (*Fuck to Army*, qu'on pourrait traduire par « Nique l'armée ») réalisé par Francine Parker.

Au nom de la civilisation occidentale

L'insoumission fut également réclamée par le poignant *Winter Soldier* (*Soldat d'hiver*), documentaire collectif où des vétérans de la guerre témoignent des atrocités qu'*eux-mêmes*, « au nom de la civilisation occidentale », ont commises au Vietnam. Ce film fut sans doute, de tous les documentaires réalisés contre cette guerre, celui dont l'impact auprès de l'opinion publique se révéla le plus fort.

De jeunes « vétérans » (ils ont entre vingt et vingt-sept ans) prennent conscience, au retour de la guerre, qu'ils ont participé à une boucherie et que, en raison du conditionnement subi, ils ont été déshumanisés et réduits à l'état de « Terminators » criminels. Ils comprennent alors que la guerre du Vietnam n'aura jamais son Tribunal pénal international, que les vrais responsables politiques et militaires des massacres, du napalm répandu, des bombardements aériens contre les civils, des exécutions massives dans les bagnes, et des désastres écologiques provoqués par l'usage massif de défoliants ne passeront jamais devant une cour martiale et ne seront jamais condamnés pour crimes contre l'humanité.

Cette effarante évidence leur devint insupportable. Aussi, afin d'apporter un contre-témoignage aux informations répandues par les médias qui faisaient de cette guerre une « croisade pour la défense de la civilisation occidentale », et, dans le but de briser la bonne conscience de la plupart de leurs concitoyens persuadés que l'Amérique combattait héroïquement et chevaleresquement pour une cause juste, cent vingt-cinq d'entre eux, nullement insoumis ou déserteurs, souvent couverts de décorations, se réunirent à Detroit, en février 1971.

Des cinéastes de New York (travaillant dans le cinéma, la publicité ou la télévision) décidèrent de filmer cet important événement que les grandes chaînes boycottaient et que les médias officiels boudaient. Ils enregistrèrent trente-six heures de film en 16 millimètres dont *Winter Soldier* est la synthèse.

On y voit ces anciens soldats, naguère fiers d'eux-mêmes, de leur uniforme et d'avoir défendu leur patrie, expliquer la manipulation mentale, le décervelage qu'ils ont dû supporter. Ils évoquent dans le détail les mécanismes de déshumanisation préalable subis dans les camps d'entraînement où on leur apprenait à museler leur conscience morale et à libérer leurs instincts d'agression.

Ils racontent les horreurs qu'ils commirent une fois leur robotisation achevée : les enfants pris pour cible, les oreilles des

Vietnamiens (vivants ou morts) échangées contre des boîtes de bière, les viols des femmes, les suspects jetés du haut des hélicoptères, les villages incendiés, les tortures permanentes.

Ils rappellent le catalogue de consignes au nom desquelles était conduite la guerre : « Un Vietnamien vivant, c'est un suspect vietcong ; un Vietnamien mort, c'est un véritable vietcong » ; « Si un paysan s'enfuit à votre approche, c'est un vietcong ; s'il ne s'enfuit pas, c'est un vietcong intelligent ; dans les deux cas, il faut l'abattre » ; « Comptez les prisonniers seulement à l'arrivée de l'hélicoptère, pas au départ, vous n'aurez pas à rendre compte de ceux qui seraient tombés en vol »…

Ces témoignages présentent les cruautés commises en Asie comme l'extension de celles accomplies sur les Peaux-Rouges ou sur les Noirs, à propos desquelles un ancien combattant, devenu militant des Black Panthers, rappelle qu'elles demeurent, en quelque sorte, la matrice de toutes les agressions nord-américaines.

Winter Soldier mit en évidence la profondeur du traumatisme provoqué aux États-Unis par le conflit vietnamien et souligna le désarroi moral qui avait affecté une importante partie de la société, et en particulier la jeunesse. Le film devint une sorte d'étendard pour les jeunes pacifistes. Il circula dans les universités, et on peut dire que le personnage d'ancien combattant, handicapé et contestataire, qu'interprète John Voigt dans le film de fiction *Coming Home* (*Retour*, d'Al Ashby, 1978) ou celui qu'interprète Tom Cruise dans *Né un 4 juillet* (1989) d'Oliver Stone s'inspirent directement de ce documentaire exceptionnel.

Structures d'aveuglement

Plus tard, le réalisateur Peter Davis s'interrogea, dans *Hearts and Minds* (*Cœurs et Esprits*, 1973), sur les traits culturels américains qui, par-delà les considérations politiques ou économiques, avaient pu favoriser l'extension irrationnelle du conflit jusqu'à lui faire atteindre, par le nombre et la gravité des atrocités commises, les dimensions d'un quasi-génocide.

Hearts and Minds se proposait de traquer l'impérialisme américain dans son labeur quotidien de corruption des mentalités. Il constitue une sorte *d'essai* cinématographique pour expliquer les assises psychosociales d'une guerre qui demeure un scandale pour la raison démocratique américaine.

Peter Davis procède, en premier lieu, au dépistage du réseau de contre-vérités, d'allégations et de phobies qui avaient enserré, peu à peu, les États-Unis dans la logique de l'intervention.

Candidement interrogés, certains dirigeants américains avancent, inquiets, des excuses d'ordre politique : « Si nous perdons l'Indochine, nous perdrons le Pacifique, et nous serons une île dans une mer communiste. » D'autres, plus cupides ou plus préoccupés de motivations géostratégiques, voient dans l'intervention une manière de conserver l'accès à des matières premières importantes, indispensables pour l'industrie américaine : « Si l'Indochine tombait, l'étain et le tungstène de la péninsule de Malacca cesseraient d'arriver. » Les autres, enfin, n'hésitent pas à déclarer que les Américains interviennent « pour venir au secours d'un pays victime d'une agression étrangère ».

Quoi qu'il en soit, Peter Davis sait que d'autres interventions militaires (Guatemala, Panama, Cuba, Saint-Domingue...) ne se soutiennent pas d'arguments différents. Il y a donc, démontre-t-il, une logique extravagante qui réglemente les agressions américaines. Toutefois, elle lui semble insuffisante pour élucider les origines du *comportement individuel* des militaires dont les excès de brutalité lui paraissent dériver d'un certain nombre de rites, de règles et de valeurs qui ordonnent le fonctionnement même de la société américaine.

Hearts and Minds discerne, en particulier, trois de ces protocoles, que nous pourrions nommer des « structures d'aveuglement », et qui ont pour fonction d'occulter, de masquer, de disséminer le sens profond d'un acte sous un fatras de significations secondes purement formelles. Ainsi, par exemple, Peter Davis montre comment, par la multiplication des relais technologiques entre un soldat et sa victime, l'armée parvient à noyer la dimension politique d'un crime de guerre.

Un pilote de bombardier américain, le regard serein, déclare : « Quand on vole à 800 kilomètres/heure, on n'a pas le temps de penser à rien d'autre. On ne voyait jamais les gens. On n'entendait même pas les explosions. Jamais de sang, ni de cris. C'était propre ; on est un spécialiste. J'étais un technicien. » Ainsi, la conscience du pilote, piégée par le mythe de la performance technique, néglige de considérer les conséquences de son geste, d'assumer la responsabilité de son action.

Une deuxième structure apparaît en quelque sorte comme le complément de celle-ci : elle consiste à transformer toute participation, dans un domaine quelconque, en une *compétition* obstinée où il importe surtout d'aller à l'extrême bout de ses forces dans le but exclusif de gagner. L'objectif final efface ici toute considération sur les étapes intermédiaires. Peter Davis, en montage alterné, compare l'attitude des militaires au Vietnam avec celle des joueurs de football américain. Dans les deux cas, tous les coups sont permis afin de remporter la victoire, même si on ignore les raisons du combat. Interrogés en plein baroud dans la jungle vietnamienne, des soldats avouent ne pas savoir pour quoi ils se battent. L'un d'eux est même persuadé que c'est pour aider les Nord-Vietnamiens ! Un officier résume : « Une longue guerre, difficile à comprendre mais nous y sommes allés pour gagner. » La banalité de l'objectif camoufle la complexité de l'enjeu.

Le troisième élément de déculpabilisation, qui imprègne d'ailleurs les deux premiers, est cette sorte de *psychologie des peuples* permettant d'épingler mécaniquement, aux habitants d'un pays, un chapelet de comportements types, d'atavismes, et de tares, ce qui constitue la base prétendument scientifique du racisme le plus élémentaire. Un officier américain, de retour de la guerre, raconte aux enfants d'une école ses impressions sur l'Indochine : « Les Vietnamiens, dit-il, sont très retardataires, très primitifs ; ils salissent tout. Sans eux, le Vietnam serait un beau pays. » On y perçoit fort clairement le regret d'une solution radicale (« *no people, no problem* ») du genre « solution indienne » que le général Westmoreland a dû être tenté d'appliquer, sans graves remords, car, déclare-t-il, « les Orientaux attachent moins de prix à la vie que les Occidentaux ».

Par la clarté de sa démarche, Peter Davis met ainsi en pratique une conception du *cinéma direct* plus rigoureusement analytique. Il s'attache à réfléchir, au moyen d'images/sons, sur les mobiles du comportement des soldats américains. Il attribue, d'autre part, au conflit vietnamien une valeur d'épiphénomène, de *symptôme* d'une vaste maladie, à savoir : la *violence américaine* dont il étudie les caractéristiques militaires et guerrières, un peu dans le style sociologique de ce que la réalisatrice Cinda Firestone, dans le documentaire *Attica,* avait fait pour mettre à nu le fonctionnement de la répression policière.

Confirmant l'antipathie des professionnels du cinéma à l'égard de cette guerre, Hollywood récompensa *Hearts and Minds* de l'Oscar du meilleur documentaire.

Maintenir la mobilisation

Mais l'œuvre limite sur les conséquences du conflit dans la trame intime des vies américaines fut *Milestones* (1975) de John Douglas et Robert Kramer[1], véritable somme des idées les plus généreuses de la génération américaine qui s'opposa à cette guerre.

Milestones[2] est une traversée (historique, géographique, humaine) de l'Amérique ; c'est la rencontre avec des gens conscients que la puissance des États-Unis s'est édifiée sur le massacre des Indiens et sur l'esclavage des Noirs, et qui s'opposent au génocide du peuple vietnamien. Œuvre de renaissance, *Milestones* marque cependant une coupure assez radicale dans le discours filmé politique.

---

1. Déjà auteurs, avec N. Fuchner, d'un autre documentaire sur le Vietnam, *People's War* en 1969.

2. Ce titre (*milestone* signifie « borne », « jalon », « repère ») est tiré d'un poème de Hô Chi Minh publié dans son recueil *Carnets de prison* : « Il y a beaucoup de bornes dans la vie de chacun, des marques, des miroirs qui indiquent combien de distance vous avez parcouru, et combien il vous reste encore à parcourir. Et il y a aussi des bornes pour un peuple, et aussi pour tous les peuples. »

La guerre étant alors terminée (elle s'est achevée, on le sait, le 30 avril 1975), ce film insiste sur la nécessité de maintenir la mobilisation et prône l'investissement de l'énergie militante dans le courant de la vie quotidienne, dans la transformation des rapports du couple, de la famille et de l'amitié. Il annonce la nouvelle sensibilité à l'égard de l'écologie et de l'environnement, de la question des femmes, du respect des minorités. Et exprime le souhait de voir enfin s'épanouir une société américaine infiniment plus bienveillante, plus tolérante, donnant plus volontiers libre cours à la sensibilité et à l'émotion.

Soldat-zombi

Dans le domaine plus commercial des films de fiction, après avoir été, un instant, tenté par la production d'œuvres bellicistes (seules furent réalisées *Commando au Vietnam*, en 1968, ainsi que le célèbre *Bérets verts* de John Wayne et Ray Kellog, deux échecs retentissants), Hollywood change d'attitude au fur et à mesure que les protestations contre la guerre gagnent en ampleur.

Dès le début du désengagement américain au Vietnam, quelques films de fiction se permettent, non sans précautions, de critiquer le conflit. Le plus curieux d'entre eux est sans doute *Le Mort-Vivant*, réalisé en 1974 par Bob Clark. Construit selon les règles dramatiques du cinéma d'horreur, il raconte l'histoire d'un soldat mort au Vietnam qui revient hanter sa maison familiale et sa petite ville natale.

D'une terrifiante efficacité dans les scènes d'horreur, le film est aussi un intelligent portrait sociologique de la classe moyenne américaine. Le soldat-zombi est présenté comme une victime (c'est d'ailleurs son père qui l'a forcé à s'engager dans l'armée) et les agressions qu'il commet ne sont qu'un pâle reflet des horreurs qu'il endura au Vietnam. Afin de se procurer le sang indispensable à sa survie, il tue ceux qui, symboliquement, l'ont envoyé faire la guerre. Il dit d'ailleurs à l'une de ses victimes : « J'ai donné mon sang pour vous, vous pouvez en faire autant. »

Choc des mentalités

Il faut cependant attendre la fin de la guerre, en 1975, pour voir enfin (la télévision s'étant tue) les réalisateurs américains entreprendre une longue réflexion filmée sur le choc du Vietnam et ses répercussions sur les mentalités des citoyens.

Henry Jaglom le premier montrera, en 1976, dans *Tracks,* un officier américain (interprété par Dennis Hopper) chargé de convoyer le cercueil d'un héros mort au Vietnam pour le remettre à sa famille. Cet officier traverse ainsi, en train, les États-Unis d'ouest en est et vérifie, dans une sorte de voyage au bout de l'indifférence, que son collègue, comme tant d'autres « héros » de cette guerre, est bien mort pour rien.

De nombreux films abordèrent le difficile problème de la réinsertion des anciens combattants dans la vie civile. Ainsi Travis, le chauffeur de *Taxi Driver* (réalisé en 1975 par Martin Scorsese) souffre, par suite des blessures reçues au Vietnam, d'insomnies chroniques et ne sait s'adapter à une ville hyper-violente, New York, qu'avec les armes et les méthodes super-agressives qu'on lui enseigna à la guerre.

C'est aussi le cas du personnage John Rambo – capturé et torturé par les Nord-Vietnamiens, héros de guerre, archimé-daillé – qu'incarne Sylvester Stallone dans *Rambo* (*First Blood,* 1982, de Ted Kotcheff ; *First Blood Part 2*, 1985, de George Pan Cosmatos). Cet ancien membre des forces spéciales se révèle incapable de s'adapter à la vie ordinaire, une fois la guerre terminée. De même que le sergent Highway, vétéran des guerres de Corée et du Vietnam, a du mal à s'adapter aux nouvelles recrues d'un bataillon de « marines », dans *Le Maître de guerre* (1986, de Clint Eastwood).

À cette même époque, cœur de l'ère reaganienne, la guerre du Vietnam fait l'objet d'un discours révisionniste réaction-naire. Dans cet esprit de racisme rampant et de bellicisme revendiqué, le colonel James Braddock (Chuck Norris), héros de *Portés disparus* (1984, de Joseph Zito) se rend au Vietnam pour enquêter sur le sort des prisonniers américains. L'atti-tude des autorités vietnamiennes le met hors de lui. Il décide d'aller chercher lui-même les derniers « portés disparus »…

Les deux délinquants d'*Un après-midi de chien* (1975, de Sidney Lumet) reviennent aussi du Vietnam et appliquent, pour cambrioler une banque, les procédés énergiques qu'ils apprirent dans les commandos de la jungle.

Nick Nolte incarne également, dans *Les Guerriers de l'enfer* (1977, de Karel Reisz), un ancien hippie (ce personnage pourrait être le prolongement de celui de Berger, cet autre hippie pacifiste qui, dans le film *Hair* de Milos Forman, est embarqué pour la guerre du Vietnam par méprise), devenu malgré lui convoyeur de drogue à son retour d'Indochine et totalement égaré dans un monde dont il ne possède plus les codes de fonctionnement, excepté ceux (paradoxe chez un pacifiste) de la violence.

Une violence que certains, nostalgiques des excès vietnamiens, entretiennent en pratiquant, par exemple, la chasse, comme les quatre anciens militaires aux tempéraments aveugles de *Wolf Lake* (1979, de Burt Kennedy) qui s'en prennent dans le décor sauvage du Nord canadien à un jeune Américain, déserteur de la guerre du Vietnam.

D'autres gèrent leur trop-plein d'agressivité aux dépens des « métèques » des États-Unis (Noirs ou Chicanos), comme les policiers de *Bande de flics* (1977, de Robert Aldrich), spécialistes des bavures, brutaux, racistes, obsédés et définitivement marqués par les horreurs de la guerre.

Horreurs qui ont laissé des plaies béantes dans les consciences d'une génération, et ont traumatisé tous ceux qui les ont connues. Ainsi Jack, le protagoniste de *Heroes* (1977, de Jeremy Paul Kagan), rendu fou et amnésique par la violence délirante d'une bataille où il vit mourir son meilleur ami.

Déchéance morale

Les opposants pacifistes qui combattirent sur les campus des universités contre la guerre furent aussi très fortement affectés, dans leur vie intime, par ce militantisme élevé au rang de véritable morale. Ils durent supporter un certain ostracisme et, une fois la guerre terminée, se laissèrent

« récupérer » tout en gardant la nostalgie, et souvent les manières, de leurs années gauchistes.

C'est ce que montrent les personnages de *The Big Fix* (1979, de Jeremy Paul Kagan) et notamment celui de l'ancien activiste reconverti dans la publicité (parce que, comme pour les manifs, il faut avoir le génie des slogans percutants) qui déclare : « Dans ce pays, on ne peut pas rester longtemps révolutionnaire. »

D'autres films encore ont abordé, par la bande, divers problèmes sociologiques liés au conflit vietnamien prouvant l'importance de la déchéance morale où étaient tombés les États-Unis. Par exemple, Peter Bogdanovitch, dans son film *Jack le Magnifique* (1979), décrit le fonctionnement, en accord avec les consignes du Pentagone, d'un bordel militaire américain, à Singapour en 1971, destiné exclusivement aux soldats permissionnaires combattant au Vietnam. On sait que la hiérarchie militaire américaine nia toujours, du temps du conflit, l'existence de telles maisons de prostitution et encore davantage avoir passé des accords avec des proxénètes professionnels.

Atrocités et bons sentiments

La guerre elle-même, telle que pouvaient la vivre sur le terrain les combattants, fut abordée pour la première fois (exception faite surtout des *Bérets verts*) dans *Le Merdier*, en 1977, par Ted Post. Cet auteur situa (encore une précaution) l'action du film en 1964, du temps où, l'Amérique n'ayant pas encore officialisé son intervention, il n'y avait au Sud-Vietnam que des « conseillers militaires américains ».

La guerre y est présentée sous son aspect atroce, et les actes héroïques dans toute leur absurdité. Le film reprend un schéma classique (un petit groupe de soldats américains et sud-vietnamiens isolé doit affronter un ennemi supérieur en nombre et dissimulé dans la jungle) pour mieux prouver comment ce conflit dès ses origines était synonyme d'enlisement. Le titre français d'ailleurs est assez explicite à cet égard, alors que le titre américain, plus littéraire, *Go Tell the Spartans,* se voulait un avertissement (il est extrait d'une phrase d'Hérodote en souvenir des héros de la bataille des Thermopyles : « Passant, *va dire à Sparte* que nous sommes morts ici pour obéir à ses lois »).

Avec *Coming Home* (*Retour*, 1978, d'Al Ashby), nous passons à un autre registre, décidément plus grave, plus sérieux. Ce film, un *film d'auteur*, constitue en quelque sorte le reflet officiel de la mauvaise conscience américaine. Il fut réalisé par ceux-là mêmes qui s'opposèrent à la guerre en son temps. Le metteur en scène, Al Ashby fut un vigoureux militant pacifiste et participa à la création du mouvement hippie. Quant à Jane Fonda, qui interprète le principal rôle féminin, elle milita constamment contre l'engagement militaire de son pays, visita le Nord-Vietnam, rencontra le président Hô Chi Minh, prononça des discours pacifistes à Radio Hanoi et réalisa, avec son mari d'alors, le militant pacifiste Tom Hayden, et le cinéaste radical Haskell Wexler, un documentaire militant, *Introduction to the Enemy*, 1973, de grande valeur pathétique.

Bien que *Retour*, donc, soit fait avec la meilleure volonté de dénoncer les désastres (physiques et psychologiques) causés par la guerre, il faut malgré tout considérer que son pacifisme est fort peu politique et relève plutôt du domaine affectif. Ainsi, par exemple, le film maintient une confusion, notamment au début, entre la violence de la guerre et les carences d'un hôpital militaire. Nous constatons que lorsque ces dernières sont surmontées, l'ancien combattant handicapé (interprété par John Voight) retrouve soudainement une vitalité et une autonomie stupéfiantes.

Dans ce sens, le film fonctionne comme une magnifique compensation symbolique pour tous les mutilés de guerre, lesquels pourront vérifier, s'ils voient le film, qu'avoir perdu l'usage de ses jambes n'empêche guère de séduire Jane Fonda. Et non seulement de la séduire mais encore de la rendre sexuellement heureuse, ce que ne parvient pas à faire son mari (pourtant valide, officier de carrière et même patriotard).

John Voight, d'ailleurs, grâce aux miracles des prothèses mécaniques, joue au basket-ball, conduit des automobiles de course, manifeste dans les rues, et semble prouver que le sens véritable du film n'est pas de critiquer la guerre du Vietnam (l'impasse sur les victimes vietnamiennes, négligées, est révélateur) mais de réaffirmer, une fois encore, que la principale qualité américaine réside dans *la volonté de vaincre,* de vaincre un handicap ou l'inertie de son propre corps s'il le faut. Et le mari de Jane, ce « lâche » qui se tire une balle pour sortir au plus tôt de l'enfer vietnamien (alors que le handicapé, lui, a joué les règles du jeu et s'est battu « en héros » – plusieurs témoignages le confirment – jusqu'au moment de sa blessure), ne sera pas ménagé par la fiction, trompé, antipathique, méprisé, il sera carrément acculé au suicide… Quant à la femme, rarement elle aura été, dans un film qui se voulait pourtant progressiste, à tel point le stéréotype du « repos du guerrier ».

Fatalisme et inhumanité

Selon Michael Cimino, auteur de *Deer Hunter* (*Voyage au bout de l'enfer,* 1978), la guerre du Vietnam fut une sorte d'impératif politique, décidé par des instances trop éloignées des citoyens et que ceux-ci durent accepter avec sportivité dans le respect fataliste des lois.

Le thème essentiel de son film est l'inhumanité de toute guerre et le drame de toute génération appelée à faire la guerre. Le Vietnam, pour Cimino, est purement circonstanciel et son film, se référant à la Corée ou à la guerre du Pacifique, n'aurait rien eu à corriger sur les illusions brisées d'un groupe de jeunes Américains dont la vie, que l'on pouvait prévoir parfaitement tracée, est brusquement bouleversée par le départ au front et la participation à des combats réglés par la haine, l'abjection et la peur.

Ici, le Vietnam n'est qu'un décor et sa spécificité relève de l'imagerie anti-jaune mise au point par le cinéma belliciste durant la seconde guerre mondiale. Dans cette guerre qui semble irréelle, seuls les Américains (un clan) sont parfaitement identifiés, tous les Vietnamiens, en revanche, sont des figurants impersonnels, ils sont les « Jaunes » avec leur chapelet d'attributs ordinaires : sanguinaires, traitres, corrompus, vicieux, drogués...

Les personnages de ce *Voyage au bout de l'enfer* sont des ouvriers sidérurgistes (ils habitent Clairton, une petite ville industrielle de Pennsylvanie), pourtant ils ne questionnent jamais leurs actes et se révèlent incapables de verbaliser une quelconque expérience ou sentiment. Curieux zombis politiques sur lesquels s'abattent la guerre et son cortège d'horreurs dont ils ne savent se défendre qu'au moyen des instincts virils les plus archaïques.

La leçon politique de *Deer Hunter* est assez sommaire (et, en un certain sens, secondaire) : la sauvagerie, la brutalité des communistes justifiaient l'entrée en guerre des États-Unis au Vietnam. La corruption et l'incurie des Sud-Vietnamiens justifiaient, en revanche, le repli américain. Quoi qu'il décide, le gouvernement des États-Unis a raison, aux citoyens de s'adapter...

Requiem barbare

Avec *Apocalypse Now*, Francis Coppola donnait enfin à la guerre du Vietnam son requiem barbare tout en témoignant de la chute grandiose de l'empire américain. Il représentait la violence suprême comme ultime forme de la décadence, l'enfer élargi aux dimensions d'une apocalypse balayant les valeurs héroïques sur lesquelles s'était édifiée la puissance américaine. Il tentait ainsi de faire place nette pour un nouveau pacifisme.

Film millénariste, *Apocalypse Now* contient tous les autres et donc toutes leurs ambiguïtés, dont la moindre n'est pas d'encourager, sous la houlette américaine, à un nouveau franciscanisme, à un nouvel apostolat. Lorsque l'idéologie officielle, prétendue, des États-Unis est celle des droits humains, une telle concordance ne peut manquer de significations...

Apocalypse Now est une œuvre très personnelle, entièrement, hystériquement, d'*auteur* (comme l'est n'importe quel film d'Orson Welles) et c'est, aussi, une superproduction de plusieurs dizaines de millions de dollars destinée à être diffusée dans le monde entier. Ce type de concordance (une « superproduction d'auteur ») constitue un événement assez rare dans l'histoire du cinéma américain. Peu de précédents nous viennent en mémoire : *Intolérance* de David W. Griffith, en 1917, *Rapaces* d'Eric von Stroheim, en 1925, ou *Cléopâtre* de Joseph Mankiewicz, en 1960, trois retentissants échecs financiers.

L'idée de réaliser *Apocalypse Now* vint à Francis Coppola vers 1969, lorsqu'il entendit son ami le scénariste (devenu plus tard réalisateur) John Milius raconter quelques anecdotes insolites sur la guerre du Vietnam. Plusieurs mois plus tard, Milius et George Lucas (l'auteur d'*American Graffiti* et de *La Guerre des étoiles*) lui proposèrent un scénario basé sur ces récits incroyables et sur la trame du célèbre roman de l'écrivain britannique Joseph Conrad (1857-1924), *Au cœur des ténèbres*, écrit entre 1898 et 1899, et dont Edward W. Said a proposé une admirable lecture critique, indispensable à qui veut vraiment comprendre le sens du film de Coppola, dans son essai *Culture et Impérialisme*[1].

C'était l'époque de la plus forte protestation contre la guerre, et nous avons vu que Hollywood préféra ne pas produire des films sur la question vietnamienne tant que durèrent les combats. Aussi le projet de Coppola avança fort timidement. Entre-temps, cet auteur (qui ne s'était jamais fait remarquer pour ses protestations contre la guerre, bien qu'il bénéficiât d'une réputation de libéral) atteignait une renommée universelle grâce à des films comme *Le Parrain*, première et seconde parties, et *Conversation secrète* qui lui rapportaient une fortune considérable.

La guerre étant alors terminée, il eut l'idée de *produire* lui-même « le premier film sur la guerre du Vietnam » : *Apocalypse Now*. On sait, cela fait partie de la légende du film, combien cette aventure financière devint peu à peu monstrueuse, engloutissant tous les biens de Coppola, maisons, voitures, propriétés. Il misa toute sa fortune sur la production d'*Apocalypse Now*, dont le tournage prit des allures démentielles, et

1. Edward W. Said, *Culture et Impérialisme*, Paris, Fayard-*Le Monde diplomatique*, 2000.

qui coûta finalement 30 millions de dollars : neuf mois d'extérieurs aux Philippines, typhons, ouragans, fièvres, maladies, abandons de comédiens, mobilisation de milliers de figurants, participation de l'armée philippine...

Officier perdu

Apocalypse Now raconte l'itinéraire du capitaine Willard (Marlow, dans le roman de Conrad, interprété par Martin Sheen) à qui l'état-major américain a confié la mission secrète de retrouver et d'exécuter le colonel Kurtz (Marlon Brando). Celui-ci, qui fut naguère un officier exemplaire, a décidé de faire la guerre selon ses propres méthodes et il la conduit avec la plus grande cruauté.

Avec ses mercenaires, Kurtz a cherché refuge dans une région isolée de la jungle cambodgienne où les indigènes le vénèrent comme un véritable dieu vivant. Tandis qu'il remonte le fleuve à bord d'une canonnière à la recherche de Kurtz, le capitaine Willard est témoin de plusieurs épisodes exemplaires de la guerre du Vietnam, effrayants et grotesques à la fois, ce qui permet à Coppola de disserter sur des thèmes éternels : le complexe de culpabilité, l'ambiguïté morale et la nature humaine.

Au fur et à mesure qu'il étudie le rapport de la CIA sur Kurtz, Willard sent grandir son admiration pour cet « officier perdu », et il comprend de mieux en mieux son geste de zèle cruel et son superbe isolement.

Une expérience-Vietnam

L'accueil enthousiaste que la critique, dans son ensemble, réserva au film de Coppola illustre assez bien l'évanouissement idéologique caractéristique de la fin des années 1970. Personne, ou presque, n'a interrogé politiquement une œuvre qui prétend enterrer définitivement (en tant que sujet cinématographique) la crise vietnamienne[1].

---

1. Parmi ceux qui ont bien relevé les particularités politiques du film de Coppola, il faut citer Christian Zimmer, « *Apocalypse Now* ou la faillite de l'Histoire », *Le Monde diplomatique,* novembre 1979.

Pour parler d'*Apocalypse Now,* on a souvent mélangé les chiffres astronomiques de la production et les bonheurs de la mise en scène comme si on cherchait à expliquer la radicale modernité de l'œuvre par le nombre d'éléments convoqués pour sa réalisation. On ne s'est pas assez demandé si, précisément, l'accumulation débordante d'effets visuels, le délire d'entassement dans la représentation ne conduisaient point le spectateur d'*Apocalypse Now* vers un monde d'hallucinations où la démence généralisée et la frénésie permanente dissimulent en fait la véritable signification de ce qui s'est produit au Vietnam.

Francis Coppola a déclaré que voir *Apocalypse Now* équivalait à « vivre une expérience-Vietnam ». Ce serait une sorte d'expérience sensorielle (la bande-son a été très travaillée dans ce but) semblable à celle qu'aurait produite sur nous la guerre elle-même, si nous l'avions vécue. En somme, selon l'auteur, voir *Apocalypse* serait la même chose qu'avoir fait la guerre.

Mais, en admettant cela, nous pourrions nous demander : dans quel camp ? Et la réponse du film ne peut pas être plus claire : dans celui des Américains.

Souvenons-nous, par exemple, de la séquence célèbre de l'attaque des hélicoptères. La virtuosité de la mise en scène, le vertige des plongées, la musique de Wagner, les tourbillons aériens, tout cela enivre, grise, transporte le spectateur qui *participe* sensoriellement à la bataille et *s'identifie* aux commandos américains. Toute cette séquence est tournée *du point de vue des attaquants.* On ne nous propose jamais la vision des vaincus, des attaqués, des écrasés. De là à ce que, dans le confort de nos fauteuils, cette séquence produise un sentiment ambigu, trouble, désagréable : l'impression de participer (sans risque) à une bataille coloniale, à une opération de « pacification ». Une étrange exaltation guerrière s'empare du spectateur.

La perversité idéologique de cet effet de caméra subjective ne peut échapper à personne puisque, comme on le sait, il fut fréquemment utilisé par les opérateurs allemands d'actualités durant le nazisme pour que les masses puissent s'identifier au Führer.

Dans cette même séquence de l'attaque des hélicoptères et malgré les déclarations antibellicistes de Francis Coppola (nous distinguons les professions de foi de l'auteur de la signification réelle du film), le colonel de cavalerie qu'interprète magistralement Robert Duvall, avec son chapeau de Ranger, sa passion du surf et son mépris de la mort, ne peut que fasciner tous les militaristes. Il est décrit comme possédant toutes les vertus mythiques de l'officier de droite rêvé : intrépide jusqu'à la témérité, bon juge du courage de l'ennemi, vénéré par ses hommes, excellent stratège, et... toujours victorieux. Rarement le cinéma, même le plus réactionnaire, aura proposé un portrait de militaire mythique, charismatique, aussi droitier et flatteur.

Morale guerrière

À propos de Kurtz (Marlon Brando), cet ancien « officier modèle » qui s'est écarté de la prétendue légalité guerrière américaine, le film fait preuve d'une curieuse indulgence. À cet égard, il convient d'être précis. Coppola appuie tout son récit sur une notion de la *morale guerrière* : il y aurait, selon lui, une manière *propre* de faire la guerre (probablement dans le respect des conventions de Genève) que souhaitent appliquer l'état-major américain et la CIA, et une manière *sale* que pratique Kurtz (accusé notamment d'avoir fait exécuter des cadres nord-vietnamiens sans avoir assez de preuves de leur culpabilité).

L'armée américaine, comme institution, apparaît dans le film de Coppola très préoccupée de légalisme et de bonnes manières. Elle moralise à tel point qu'elle est impitoyable pour tous ceux (Kurtz, par exemple) qui dévient de sa *conception chevaleresque* de la guerre. Cette idée de Coppola est proprement outrancière, car elle tendrait à accréditer le vieux principe du « roi qui ignore les méfaits de ses ministres » ; l'armée américaine serait, en tant qu'institution, *saine, pure, vertueuse* malgré les atrocités commises par tel ou tel officier.

143

Non seulement un tel raisonnement ne tient pas si l'on se rappelle les massacres de My Laï, de Thuy Bo ou les bombardements des populations civiles des villes du Nord. Mais c'est oublier, d'autre part, que le Pentagone lui-même (et non pas un officier déviant) avait élaboré un plan, nommé *Phénix,* pour éliminer physiquement *tous* les cadres communistes agissant au Sud-Vietnam.

Insister sur la volonté de moralisation de la guerre par les états-majors, ou les gouvernements, est aussi un habituel prétexte utilisé par l'extrême droite pour expliquer les défaites coloniales. Les véritables responsables de celles-ci sont, selon les ultras, les politiciens, qui ne laissent pas les militaires conduire la guerre comme il convient, avec des méthodes « radicales ».

Pour cette raison d'ailleurs, le capitaine Willard, chargé d'exécuter Kurtz, *comprend* profondément le comportement de l'officier égaré (il ne faut pas oublier que de nombreux militaires factieux – Franco, Pétain, Salan, Pinochet – furent, un premier temps, d'authentiques « officiers exemplaires ») et il admet que, grâce à sa manière brutale de faire la guerre, il a réussi à « pacifier » le secteur qu'il contrôle.

Donc, selon lui (et c'est aussi le point de vue du film), Kurtz a, d'une certaine façon, raison. Cette *sale* guerre ne peut se gagner qu'en la faisant *salement.* C'est d'ailleurs, apprenons-nous, la constatation qu'avait faite le précédent tueur envoyé par la CIA qui décida de rester définitivement avec Kurtz, gagné par l'efficacité de ses méthodes.

Francis Coppola, qui prépare, pour 2001, une nouvelle version d'*Apocalypse Now,* rallongée et avec un montage différend avait donné à son film trois fins distinctes (et moralement opposées), envisageant des dénouements contradictoires : a) remplacement pur et simple de Kurtz par Willard ; b) départ de Willard après l'exécution de Kurtz mais sans destruction de la base des mercenaires ; c) départ de Willard et destruction par bombardement aérien de la base. Cela prouve que sur cette question de la *culpabilité fondamentale* de Kurtz, l'auteur n'a pas su trancher et reste dans une grande ambiguïté politique.

Mais la logique coloniale du film va plus loin, notamment lorsqu'elle fait dire à Kurtz pourquoi il s'est décidé à utiliser les moyens les plus cruels, les plus sanguinaires et les plus implacables pour faire la guerre. L'exemple, nous révèle Kurtz, lui a été fourni par les Nord-Vietnamiens qui, un jour, comme les hommes de Kurtz venaient de vacciner les enfants d'un hameau, auraient arraché d'un trait les bras des enfants et les auraient entassés sur la place du village pour que plus jamais nul n'accepte rien des Américains.

Ici se situe la suprême perversion politique d'*Apocalypse Now*. L'origine de l'horreur et de la cruauté se trouve dans le comportement de l'ennemi. Les Américains (qui étaient au départ de « bons Samaritains » venus au Vietnam vacciner des enfants…) se seraient donc bornés à imiter les méthodes inhumaines des guérilleros communistes vietnamiens.

Enfin, on n'a pas assez souligné à propos d'*Apocalypse Now* ceci : que ce film décrit un certain nombre d'écrasantes *victoires* américaines, alors que, nous semble-t-il, ce qui est incontournable dans l'affaire vietnamienne c'est précisément la *défaite* militaire des États-Unis. Cela, le film ne l'admet pas.

Ainsi, face aux problèmes de la *guerre,* du *militarisme* et du *colonialisme* – thèmes politiques de premier ordre –, *Apocalypse Now* défend constamment le point de vue de l'Empire.

Pas d'excuses

En somme, peu de films de fiction ont eu le courage politique des œuvres documentaires qui avaient tenté, alors que la guerre faisait encore rage, d'alerter les citoyens sur ce que ce conflit révélait d'inquiétant dans le fonctionnement des institutions et de la société américaines.

Il est intéressant de constater qu'un organisme public américain, la Dotation nationale pour les sciences humaines, a octroyé, le 7 janvier 1980, un crédit de 1,2 million de dollars pour la réalisation d'un *documentaire historique* sur la guerre du Vietnam. Avec un coût total de 4 millions de dollars, le film devait se présenter sous la forme d'une série de treize émissions réalisées par la chaîne américaine de télévision publique (PBS) avec le concours des télévisions française (Antenne 2), britannique, suisse, ainsi que les archives du réseau américain ABC.

En octobre 1983, quand l'opinion américaine tentait enfin d'oublier ce terrible conflit, cette série documentaire fut effectivement diffusée par la télévision. Intitulée *Vietnam, une histoire télévisée*, elle vint une nouvelle fois rappeler les crimes.

Retrouvés par les réalisateurs, deux survivants d'un massacre oublié, celui du village de Thuy Bo, perpétré en janvier 1967, se souviennent. M. Nguyen Bai, qui était écolier à l'époque, raconte comment « les "marines" détruisirent tout, abattirent le bétail, achevant les blessés, fracassant les crânes à coups de crosse, tirant sur tout ce qui bougeait ». Mme Le Thi Ton, alors petite fille, confirme : « Nous étions dix dans une paillote quand les soldats américains sont arrivés. Je les ai salués ; ils ont ri et ont jeté une grenade à l'intérieur. Je suis la seule survivante [1]. »

Sur une affaire aussi passionnelle et décisive que la guerre du Vietnam, c'est donc un film, et non pas un livre, qui a eu pour mission de donner la *version définitive* des faits. Cela vérifie une donnée fondamentale pour les historiens futurs : que sur cette guerre, la plus importante de la seconde moitié du XXᵉ siècle, on a davantage *filmé* qu'écrit. Cela a permis à une quarantaine d'historiens, de politologues et de journalistes, de toutes opinions et des deux camps en présence, d'évoquer en images (documents historiques) les aspects politiques, diplomatiques, culturels et militaires du conflit vietnamien, de 1940 à 1975, ainsi que les guerres du Laos et du Cambodge.

Le jour où ce film fut achevé, les œuvres de fiction – même les plus admirables : *Deer Hunter*, de Michael Cimino, *Né un 4 juillet* et *Platoon*, d'Oliver Stone, *Good morning Vietnam*, de Barry Lewinson, *Apocalypse Now*, de Francis Coppola, et surtout *Full Metal Jacket*, de Stanley Kubrick, adapté du chef-

---

1. Lire Patrice de Beer, « Une grande fresque sur le Vietnam », *Manière de voir, n° 26*, « Leçons d'histoire », mai 1995.

d'œuvre de Michael Herr, *Putain de mort*[1] – parurent soudain moins profondes, et plus pathétiques.

Vingt-cinq ans après la fin des hostilités, à l'heure des repentances dans tant de pays, et alors que le président Clinton, ancien opposant à cette guerre, annonçait qu'il allait lui-même se rendre à Hanoi en novembre 2000, les États-Unis regrettent-ils les crimes commis au Vietnam ? Le secrétaire américain à la Défense, M. William Cohen, a déclaré le 11 mars 2000, à la veille de sa propre visite historique et symbolique à Hanoi, qu'il « ne comptait nullement présenter des excuses » pour l'attitude des forces américaines durant la guerre du Vietnam...

---

1. Paris, Albin Michel, 1980.

Les westerns italiens : des métaphores politiques

> Chaque génération doit accomplir sa mission ou la trahir.
>
> FRANTZ FANON

À Bandung, en 1955, commence vraiment la lente agonie du western américain. Les peuples jeunes qui émergent alors de la longue nuit coloniale, qui revendiquent le droit à étudier leur propre culture et qui se débarrassent fièrement du complexe du colonisé, brisent par contrecoup la rustique innocence du genre cinématographique américain « par excellence ». Et nombre de cinéphiles vont découvrir, accablés, que le contenu des fictions qu'ils adorent – malgré l'existence d'incontestables chefs-d'œuvre – se révèle, à l'analyse, politiquement pervers. Parce qu'il est raciste, militariste, colonialiste, machiste, impérialiste. Comme tant d'autres valeurs occidentales, le western entre alors dans l'*ère du soupçon*.

Rêves brisés

Des faiblesses idéologiques du genre, à vrai dire, certains cinéastes s'en doutaient déjà qui, depuis quelque temps, avaient entrepris de rétablir un début de vérité sur de nombreux points.

Ainsi, dès 1950, Delmer Daves avait réalisé un notoire western pro-indien, *La Flèche brisée,* où il rappelait, en passant, que la conquête de l'Ouest avait été une véritable entreprise

149

coloniale de dépossession de terres appartenant, par traité, aux communautés indiennes.

Après lui, Samuel Fuller et Anthony Mann allaient restaurer l'Indien dans sa dignité historique. Viendront ensuite les grands repentis : John Ford, Howard Hawks et Raoul Walsh.

John Huston, en 1951, va s'employer à saper le mythe de l'*héroïsme militaire*. Son film, *The Red Badge of Courage* (*La Charge victorieuse*), adapté d'une nouvelle de Stephen Crane (1871-1900), publiée en 1895 et dont l'action se déroule en 1862 pendant la guerre de Sécession américaine, fera l'objet de toutes les censures. Nous sommes alors en pleine guerre de Corée et le prestige militaire des « tuniques bleues » est très grand. Les dénaturations imposées par la Metro Goldwyn Mayer furent si importantes que John Huston désavoua le film qui était, par ailleurs, interprété par Audie Murphy, le militaire américain le plus décoré de la seconde guerre mondiale.

Il faudra attendre la révélation des meurtriers abus commis par des éléments des forces armées au Vietnam pour que Ralph Nelson, dans *Soldat bleu,* et Arthur Penn, dans *Little Big Man,* puissent rappeler, sans se faire interdire ni censurer, la triste tradition des massacres collectifs durant les guerres indiennes.

Plus tard, vers 1958, c'est le mythe le plus tenace, celui de l'extraordinaire *virilité* du cow-boy, qui s'effrite. Arthur Penn révélera, dans *Le Gaucher,* l'homosexualité historique de Billy the Kid. Andy Warhol, peintre et cinéaste, dans le singulier *Lonesome Cow-Boys* (1968), ridiculisera la masculinité prétendue de ces vachers affectés. Et enfin John Schlesinger osera montrer, dans *Macadam Cow-Boy* (1969), que les effets-fétiches des cow-boys de cinéma ne servent souvent qu'à racoler des hommes dans les rues des grandes métropoles.

Au bout de ce parcours, sans Indiens à scalper, conscient de son comportement colonial, n'attendant plus le clairon salvateur de l'« héroïque » cavalerie, doutant même de sa virilité, le protagoniste de western découvre angoissé (en même temps que les cinéphiles) que l'histoire de l'Amérique ne coïncide guère avec son rêve démocratique, et que le temps des comportements désinvoltes est désormais révolu.

L'innocence perdue
Dans de telles circonstances, il est difficile aujourd'hui qu'un réalisateur entreprenne innocemment un récit de western. Les spectateurs d'ailleurs s'en détournent, comme le constatent les grands réseaux américains de télévision qui ont pratiquement supprimé de leurs grilles de programmes ces (pensait-on) inévitables westerns. L'époque non plus ne s'y prête plus.

Le western, genre épique, convenait à l'Amérique tant que ce pays croyait, politiquement et militairement, en sa destinée manifeste et en son projet impérial. Elle le croit sans doute toujours, et peut-être même plus que jamais en ce début de millénaire, mais ne pense plus que sa domination doive prendre la forme d'une conquête militaire et d'une occupation coloniale.

Le western procurait à cette « nation d'émigrants et de colons » un *mythe fondateur des origines*. Un mythe terrien, agraire, archaïque, mais pour les Blancs (et protestants) exclusivement. Or la société, devenue décidément urbaine, s'est complexifiée.

La vogue du multiculturalisme exige désormais le respect des autres communautés : afro-américaine, hispanique, indienne, asiatique, catholique, juive, islamique... Cela explique pourquoi, par exemple, dans l'un des derniers westerns du XXᵉ siècle, *Shanghai Kid* (réalisé par Tom Dey, 2000), le héros principal, pour la première fois, est un Chinois qu'incarne l'un des acteurs les plus populaires d'Asie, Jackie Chan.

Par ailleurs, tournant le dos au passé, les États-Unis se sont lancés à corps perdu, depuis le début des années 1980, dans le projet futuriste de la « société de l'information » misant sur les nouvelles technologies et Internet.

Est-il étonnant, par conséquent, que le seul western récent à avoir connu un succès public soit précisément *Wild Wild West* (1998), parodie dans laquelle se mêlent hommage au western traditionnel et euphorie de science-fiction ? Et dont le titre, bien entendu, cite explicitement Internet et le *World Wide Web* ?

Détourner les codes

Brisé dans ses principales certitudes idéologiques, il restait malgré tout au western la possibilité de gérer les signes et les codes qu'il avait élaborés, en tant que genre, durant plus de quarante ans de fictions ininterrompues.

Ce sont, essentiellement, des réalisateurs italiens qui vont se charger de ce recyclage du western. Pour eux, l'Ouest ne possède aucune consistance historique et encore moins patriotique. Comme pour la plupart des Européens, nourris culturellement depuis l'enfance par des histoires d'Indiens et de cow-boys, l'Ouest américain constitue une pure *convention cinématographique*. Le référent de ces cinéastes italiens est, à la rigueur, l'histoire du western (comme chapitre de l'histoire du cinéma), mais en aucun cas l'histoire du Far West.

Débarrassés de la nécessité du ton épique et du respect de la vérité historique, les réalisateurs transalpins mettent au point une *machine à récits* dont la seule contrainte sera d'ordre purement fictionnel. Les personnages, les thèmes et les décors du western leur permettent d'organiser des opéras de violence [1] dont le fondement principal est le pur plaisir de raconter. Ils inventent des situations insolites, que le western américain, limité à un nombre restreint de cas de figures, ne prévoyait pas. Leur réussite populaire, au début, est telle que les Américains eux-mêmes tenteront de les imiter, notamment avec la série des « *dirty westerns* » dont *La Horde sauvage* (1969), de Sam Peckinpah, demeure certainement le meilleur exemple.

---

1. Lire Laurence Staig et Tony Williams, *Italian Western, The Opera of Violence*, Londres, Lorrimer Publishing, 1975.

Messages clandestins

La réussite commerciale du western italien a permis à de nombreux auteurs de gauche de profiter de la structure formelle du genre pour y glisser, en contrebande, des messages clandestins et une silencieuse contre-propagande. Ils ont pu, par ailleurs, en tant que créateurs, s'*exprimer* véritablement, atteindre un assez vaste public populaire et *détourner* ce genre cinématographique au profit d'idées politiques très précises, progressistes.

L'œuvre de ces réalisateurs (et de leurs scénaristes) a été jusqu'à présent assez méconnue, voire méprisée. Il nous a semblé juste de rétablir l'importance de certains films en analysant de plus près ce que fut réellement le *western italien*.

Aujourd'hui clos, exténué en tant que genre, le western d'Italie supporta, durant ses quelque dix ans d'existence (1965-1975), le mépris persifleur du public intellectuel de gauche. Seuls échappèrent à ce dédain les cinq longs-métrages reconnus fondateurs, réalisés entre 1964 et 1975, de Sergio Leone : *Pour une poignée de dollars, Pour quelques dollars de plus, Le Bon, la Brute et le Truand, Il était une fois dans l'Ouest* et *Il était une fois la révolution*. Les autres films furent généralement considérés comme des scories ou des déchets puisque incapables d'*égaler* les œuvres de Leone, elles-mêmes, disait-on, excessivement fascinées par le modèle américain.

Tératologie

En réalité, il ne s'agissait pas d'*imitation,* car à regarder ces westerns de plus près on aurait pu noter que, de prélèvements en repiquages, de démarquages en transgressions, ce qui se balisait c'était la frontière d'un *genre nouveau*. Ce qui se constituait, c'était le corps d'un récit différent relevant plutôt, par l'abondance disparate des greffes, d'une tératologie des fictions.

Seules les apparences rappelaient le western américain. Pour le reste, il s'agissait de pur *simulacre*. Les spectateurs les plus attentifs remarquèrent que le western italien était au western américain ce que Mr Hyde est au Dr Jekyll, à savoir : son double jubilatoire, pulsionnel, épanoui [1].

Les écarts entre les deux genres se sont par la suite figés en constantes obligées, conférant aux films italiens leur structure habituelle, leurs tics répétitifs, leurs figures établies.

Chaque caractéristique du western italien relève d'une *théâtralité*, d'un *artifice* qui contraste avec la naturalité (conventionnelle) des films américains. Le western italien tire du côté du faux, du fard, du décor, du leurre, de l'exagération, de l'accumulation, en somme du baroque. Dans les films italiens, le réalisme excessif des corps (hirsutes, graisseux, débordants, fétides), des vêtements (longs manteaux, ponchos insolites, chapeaux de cuir) ou des objets (la maniaquerie des armes) a surtout pour but de compenser la *fausseté*, la *supercherie radicale* de l'espace et de l'origine. Les verts pâturages, les fermes et les bovins des westerns américains disparaissent au profit de grands canyons désertiques (repérés au sud de l'Italie ou de l'Espagne). Totalement ignorés, les Indiens se voient remplacés, supplantés par des Mexicains (au physique somme toute semblable à celui des Méditerranéens). Les personnages féminins (qui avaient été introduits tardivement dans les westerns américains pour obéir à la sacro-sainte loi des mélanges de genres) deviennent encore plus rares et les intrigues sentimentales, par conséquent, disparaissent pratiquement.

Récits picaresques

Il faut noter que l'univers du western italien est un *monde d'hommes* (de machos) et que le héros (toujours cynique, malin, rusé, finaud) ne semble jamais emporté par un élan de générosité épique. L'individualisme prend ici le pas, nette-

---

1. Au début, les réalisateurs italiens signent leurs westerns avec des pseudonymes aux consonances anglo-saxonnes, puis lorsqu'il devint évident que l'opération imitation était un échec et que ce que le public recherchait c'était précisément la spécificité (l'italianité) des westerns d'Italie, les mêmes auteurs signeront ostensiblement de leur nom italien (voir Sergio Leone).

ment, sur le civisme. Le protagoniste avance à son aise dans les dédales ordinaires du *récit picaresque* (qui est, de toute évidence, le référent littéraire du western italien) car la recherche d'argent (le héros est souvent un chasseur de primes) demeure le véritable moteur de l'action.

Les récits, dans ces westerns italiens, sont habituellement tortueux, labyrinthiques, confus, bizarres, et leur vrai sujet n'est autre que *le héros lui-même* avec ses qualités et ses performances dont la fiction exposera le plus grand nombre, de la manière la plus spectaculaire possible.

Il est particulièrement facile de remarquer que les titres de ces films sont rarement descriptifs. Ils désignent moins la fiction elle-même que le personnage principal dont ils reproduisent fréquemment les propos. C'est, insidieusement, ce héros qui parle à travers nous (un bel exemple de subjectivisme, d'*identification* forcée) lorsque nous proférons les titres de nombreux westerns italiens, comme par exemple : *Mon nom est Personne*, et toute la série des *On m'appelle... Trinità, Providence, Sabatà Alleluia, King*, ou encore : *Amigo !... Mon colt a deux mots à te dire, Je vais, je tire et je reviens, Si te je rencontre, je te tue, Tire encore si tu peux, Dieu pardonne, moi pas*, etc. On déduit de ces titres que le personnage principal est un héros sans nom faisant preuve d'une vantardise immodérée.

Dans ce moule truqué (ironique et parodique), quelques réalisateurs italiens (et espagnols) sont tout de même parvenus à couler, à dissimuler un certain nombre de propos vigoureusement politiques à une époque (1965-1973) où les États-Unis se montraient particulièrement brutaux en Amérique latine et au Vietnam.

Adeptes de la contre-persuasion clandestine, ces cinéastes engagés cherchèrent à introduire, dans un cinéma-spectacle qui avait l'adhésion et la sympathie « des plus larges masses populaires », des thèmes radicaux inspirés des théoriciens du tiers-monde et notamment des idées du philosophe anticolonialiste Frantz Fanon (1925-1961), auteur, en particulier, des *Damnés de la terre* (1961).

Symbologie

Comme une représentation de marionnettes populaires, les conflits opposant rituellement des Mexicains de pacotille à des Yankees de vaudeville illustraient en fait la difficulté du dialogue entre le tiers-monde et les métropoles industrielles, entre le Sud et le Nord. Les cinéastes employaient cette symbologie ou cette métaphore simple pour souligner l'échec de la culture euro-américaine et l'insuccès de ses prétentions à représenter la culture du monde entier. Ils cherchaient aussi à rappeler les luttes anticoloniales des peuples d'Amérique latine, du Vietnam, d'Afrique, ainsi que celles de minorités ethniques (Noirs, Indiens, Chicanos, Portoricains...) au sein même des États-Unis.

Les hommes qui piègent de la sorte ces fictions populaires sont des intellectuels de gauche d'envergure internationale comme Franco Solinas, scénariste de Francesco Rosi pour le film *Salvatore Giuliano* ; de Gillo Pontecorvo pour *La Bataille d'Alger* et *Queimada* ; de Costa Gavras pour *État de siège*, et de Joseph Losey pour *M. Klein*, qui écrira pour Damiano Damiani (lui-même réalisateur politique de *Confession d'un commissaire de police au procureur de la République*, et de *Nous sommes tous en liberté provisoire*) le scénario d'un des plus passionnants westerns politiques italiens : *El Chuncho*.

L'action de ce film se déroule au Mexique durant la Révolution de 1910. Un jeune Américain (Lou Castel) parvient à s'introduire dans une bande de « brigands révolutionnaires », gagne la confiance de leur chef surnommé El Chuncho (qu'interprète Gian Maria Volonte), et peut ainsi approcher un général insurgé qu'il abat. En prime, pour ce meurtre, il reçoit du gouvernement fédéral une forte somme qu'il s'apprête à partager avec El Chuncho, son complice involontaire. Mais celui-ci prend confusément conscience de l'insolence de l'Américain pour qui tout est à vendre, et le tue, puis donne l'argent de la prime à un mendiant en lui disant d'acheter non pas du pain, mais « *de la dynamite. Pour poursuivre la rébellion* ».

Cette fable masque à peine un fort réquisitoire contre l'attitude politique des États-Unis à l'égard des peuples latino-américains et, plus précisément, des interventions de la CIA en Amérique centrale (on peut y lire une dénonciation de la politique des « volontaires pour la paix », semblable à celle que fera, sur un ton plus nettement engagé, le cinéaste bolivien Jorge Sanjinés). Bien qu'instinctive, la révolte d'El Chuncho affirme en quelque sorte la dignité de ces peuples.

Faucille et guérilla

Ce même propos est également au centre d'un autre scénario de Franco Solinas, *Colorado* (1968), mis en scène par Sergio Sollima. L'anecdote est la suivante : Colorado Corbett, homme juste et progressiste (*colorado* veut dire, en espagnol, « rouge ») est à la recherche (c'est un chasseur de primes) d'un Mexicain accusé par un grand propriétaire terrien du viol d'une petite fille. Durant la longue traque, Corbett apprend à bien connaître le Mexicain. Celui-ci, Cuchillo Sánchez, est en fait un ancien compagnon du leader révolutionnaire Benito Juarez, et il lutte pour tirer les *peones* (ouvriers agricoles sans terres) de l'oppression dans laquelle les maintiennent les grands propriétaires terriens.

Corbett comprend que Cuchillo est l'objet d'une accusation calomnieuse et découvre que le véritable violeur de la petite fille n'est autre que le gendre du propriétaire. La loi et l'ordre institutionnels sont dénoncés, dans ce film, comme appartenant à une catégorie sociale, celle des privilégiés (justice de classe), qui s'en servent pour protéger leurs intérêts économiques en dépit des exigences de la simple justice.

Dans *Saludos, Hombre !* (1969), Sergio Sollima reprend le personnage de Cuchillo Sánchez au cours d'une période antérieure. Informé de l'endroit où est dissimulé l'or qui doit servir à financer la révolution mexicaine, Cuchillo saura résister à la tentation de s'en emparer. Gagné ensuite à la cause révolutionnaire par les généreux programmes de revendications paysannes et de réforme agraire, il remettra l'or aux révolutionnaires.

Le thème banal de la chasse au trésor, si fréquent dans tous les westerns, se trouve ici doublement politisé, d'une part, parce que de sa découverte dépend le succès d'une révolution. Et, d'autre part, parce que l'or, fondu, se cache, se dissimule sous l'aspect familier d'un outil de travail bien symbolique : la faucille.

Dans le duel final, si traditionnel dans le genre, Cuchillo conserve ses hardes et se bat au couteau (*cuchillo* veut dire « couteau ») contre un Américain habillé de manière impeccable et armé d'un revolver. La métaphore est simple ici qui renvoie aux manuels élémentaires de la guérilla révolutionnaire.

Un autre scénario de Franco Solinas, *El Mercenario* (1968), réalisé par Sergio Corbucci, dénonce les calamités du capitalisme apportées dans un village par un tueur pervers qu'incarne l'acteur américain (spécialisé dans les rôles de « méchant ») Jack Palance.

Ce même comédien, dans un autre film de Sergio Corbucci, *Compañeros* (1970), qui dénonce l'occupation par les États-Unis de la province mexicaine du Texas, personnifie un tueur manchot qui nourrit ses aigles (!) de la chair de ses victimes mexicaines, à l'instar, pourrait-on dire, de l'aigle impérial américain qui se sustenterait des richesses des pays du tiers-monde. Ce film démontrait, par ailleurs, l'absurdité du pacifisme face à l'agressivité des États-Unis.

Vive la révolution !

Les westerns politiques italiens soutiennent constamment les idées généreuses de la révolution mexicaine, et critiquent les différentes interventions militaires américaines ou étrangères au cours du XIXe siècle (France, Grande-Bretagne, Allemagne) en Amérique latine.

Réalisé en 1967 par le cinéaste communiste Carlo Lizzani (longtemps directeur du Festival de Venise), le film *Requiescant* était interprété, entre autres, par le célèbre écrivain et cinéaste Pier Paolo Pasolini qui jouait le rôle d'un prêtre révolutionnaire opposé aux financiers étrangers venus soutenir le gouvernement fédéral mexicain contre les paysans insurgés.

Dans *Mais qu'est-ce que je viens f... au milieu de cette révolution ?* (1973), réalisé par Sergio Corbucci, le grand acteur Vittorio Gassman incarnait un comédien itinérant dans le Mexique du début du XXᵉ siècle, contraint, par un colonel conservateur, de se déguiser en Emiliano Zapata, dirigeant historique des paysans pauvres du Sud. Emporté par son déguisement et convaincu de la justesse de la cause paysanne (on pense au film de Roberto Rossellini, *Le Général della Rovere,* qu'interprétait Vittorio de Sica), le comédien se prend au jeu et en arrive à exalter la subversion avec tant de conviction qu'il provoque effectivement l'insurrection des journaliers.

La collusion antirévolutionnaire des systèmes féodaux locaux et des pays capitalistes se trouve synthétisée, un peu naïvement, dans un personnage antipathique d'émigré russe blanc qui, dans *Et viva la Révolution !* (de Ducio Tessari, 1973), déclare : « Avant je jurais sur le tsar, maintenant je jure sur Henry Ford, mon nouveau tsar. »

Antifascisme

L'antimilitarisme constitue aussi un trait constant dans ces westerns politiques. Même le très décevant *Un génie, deux associés, une cloche* (produit par Sergio Leone et réalisé par Damiano Damiani en 1974) ne se prive pas de ridiculiser l'institution militaire. Et c'est dans un western de Sergio Corbucci que l'on peut entendre cette réplique d'anthologie : « La justice militaire est à la vraie justice ce que la musique militaire est à la vraie musique [1]. »

Toutes les allusions politiques ne concernent pas seulement les États-Unis et leur attitude envers l'Amérique latine. Le rappel de situations politiques européennes est relativement fréquent. Ainsi, les hors-la-loi armés de faux, vêtus de bure, courant dans un paysage alpin enneigé, dans *Le Grand Silence* (de Sergio Corbucci, 1968), renvoient aux jacqueries pay-

---

1. Réplique vraisemblablement empruntée à Georges Clemenceau.

sannes de l'Italie du début du siècle qu'illustrera, avec un autre style, Bernardo Bertolucci dans *Novecento.*

Sergio Leone, dans *Il était une fois la révolution* (1970), ne se prive pas de citer des situations bien éloignées de la scène ordinaire des westerns. Ainsi, le film, réalisé à un moment où la révolution culturelle chinoise était à son zénith, s'ouvre sur une citation du dirigeant chinois Mao Tsé-toung : « Révolution : acte de violence fait dans l'esprit du peuple ». D'autre part, le foulard rouge noué autour du cou du dynamiteur irlandais (interprété par James Coburn) rappelle inévitablement l'IRA nord-irlandaise et ses méthodes explosives. Enfin, les exécutions sommaires dans les fossés de la gare renvoient au célèbre massacre des fosses Ardéatines, à Rome, le 8 septembre 1943, commis par les forces allemandes durant la période de résistance au fascisme.

La période fasciste, bien entendu, est souvent citée. Cependant, un seul western, *Le Dernier Face-à-Face,* réalisé en 1970 par Sergio Sollima, l'a abordée, métaphoriquement, en profondeur. Ce film met en présence deux personnages : un professeur d'histoire tuberculeux (Gian Maria Volonte) et un dangereux hors-la-loi. L'intellectuel se montre fasciné par l'instinct brutal du bandit, par son énergie et sa volonté dans le mal. Il aimerait l'imiter et obtenir les mêmes résultats que le malfaiteur mais en n'utilisant que son intelligence.

Le réalisateur décrit de la sorte la fascination que le fascisme éprouvait à l'égard des forces instinctives, et sa tentation de les apprivoiser pour mieux les utiliser à ses fins. Il fait aussi allusion au recrutement systématique que le fascisme opéra dans les bas-fonds de la société au sein du lumpenprolétariat.

Le professeur exprime sa théorie de l'histoire de la manière suivante : « Tuer tout seul est un meurtre ; à dix, un acte de violence ; mais à mille, cela devient un acte organisé, une vraie guerre, une nécessité. » Cette pensée froide, méthodique, finira par effrayer le brigand lui-même qui, en fin de compte, se décidera à abattre l'intellectuel dans un désert.

La guerre d'Espagne

Mais la plus directe allusion à des événements politiques européens, on la trouve dans un western assez insolite : *Trinità voit rouge* (ex-*La Colère du vent*), réalisé en 1972 par le cinéaste espagnol Mario Camus (ancien scénariste de Carlos Saura pour *Les Bandits,* en 1963).

Dans ce film, le populaire personnage de western Trinità, qu'incarne l'acteur Terence Hill, se trouve engagé par un propriétaire terrien andalou (!) pour venir abattre un chef anarchiste qui prêche la révolution dans les campagnes misérables du sud de l'Espagne.

Le récit est passablement confus, sans doute à cause des coupes et des censures apportées par les producteurs d'un film qui traite, au premier plan, d'un sujet directement politique. Ce film illustre, pour la première fois dans l'histoire du cinéma, les grandes insurrections des paysans anarchistes contre les propriétaires terriens, au début du XXe siècle en Andalousie.

Tout en conservant, vaille que vaille, un itinéraire d'aventures (il s'agit, après tout, d'un western) pour son héros, le réalisateur s'attarde surtout à décrire les scènes de révolte collective, d'organisation de la grève, de destruction des biens patronaux. En particulier, la séquence consacrée au théoricien anarchiste, dans ce même esprit, est remarquable. S'adressant à tout le village réuni, ce paisible intellectuel vieillissant sait trouver les paraboles les plus claires pour expliquer son projet politique qu'il définit en ces termes : « Nous voulons une société sans classes ; sans exploités ni exploiteurs. Il ne faut plus supporter l'injustice ; il faut se révolter et se battre pour la liberté, la justice et la dignité. Nous portons en nous un monde nouveau plein de grandes espérances. Les ruines ne nous font pas peur car nous avons de nos mains tout construit : palais et églises, routes et ponts ; nous les détruirons, s'il le faut, pour reconstruire un monde plus beau. »

Propos authentiquement révolutionnaires qui ne sont autres d'ailleurs que ceux exprimés, textuellement, au journaliste Pierre Van Paasen, et publiés par *The Star,* journal de Toronto en septembre 1936, par le célèbre chef anarchiste espagnol Buenaventura Durruti (1896-1936) à la veille de sa mort sur le front de Madrid le 19 novembre 1936[1].

Ainsi, l'année même où, sous le franquisme finissant, le militant anarchiste espagnol Salvador Puig Antich était exécuté au garrot à Barcelone, un réalisateur espagnol osait faire tenir, dans un film, de tels propos à un leader anarchiste. De plus, il filmait une grève victorieuse et illustrait la solidarité prolétarienne ; il dénonçait la brutalité patronale et la violence policière…

Sa hardiesse, qui lui permettait de narguer les autorités franquistes, se basait sur le bon usage du western en temps de despotisme. Seuls les codes d'un genre populaire, réputés superficiels, peu crédibles ou méprisés, permettaient à Mario Camus d'y dissimuler un message secret de contre-propagande et de contourner une censure par ailleurs si tatillonne.

Une fois de plus, des cinéastes engagés parvenaient ainsi à cacher, dans le maquis léger du western italien, des messages et des réflexions qui non seulement aspiraient à divertir mais qui se proposaient surtout (comme objectif militant) de dénoncer métaphoriquement les injustices sociales et les abus politiques. Et d'exprimer des revendications soucieuses d'humanité.

---

1. Ces propos, et cet entretien, sont rapportés par Félix Morrow dans son livre *Révolution et Contre-Révolution en Espagne,* Paris, Éditions de la Brèche, 1978, p. 229. Ce livre vient confirmer le sérieux des dialogues et des références historiques du western *Trinità voit rouge,* sérieux qu'aucun critique, à notre connaissance, n'avait jusqu'à présent reconnu.

Guerre et comédies

> C'est une étrange entreprise que celle de faire
> rire les honnêtes gens.
>
> MOLIÈRE

Le rire ruine le respect. Il procure une émotion moqueuse qui craquelle l'empesé d'une situation, consume la fatuité d'une conduite et corrode l'autorité d'un personnage, d'une parole, d'un sujet. La guerre elle-même, malgré ses connotations tragiques, douloureuses, n'évite guère les pointes et les railleries de l'humour satirique. Elle suscite maintes fois le libelle, l'épigramme ou le pamphlet qui, avec causticité, dénoncent la malveillance, relèvent les abus, brocardent les officiers et vilipendent la bêtise de l'encasernement.

Ces charges, cependant, pour mieux porter, doivent exprimer chez leurs auteurs une sincère révolte ou, pour le moins, un refus radical d'être complice de quelque enjeu guerrier que ce soit. Le flegme et la complaisance ne sont point de mise : la satire anti-guerrière est essentiellement *pacifiste*, mais se nourrit d'*indignation*.

Comique en délire

Les péripéties de la seconde guerre mondiale ont maintes fois fourni l'occasion à des auteurs comiques d'exprimer leurs opinions politiques et leurs réserves morales à l'égard du militarisme et du bellicisme. Aux États-Unis, par exemple, quelques cinéastes, souvent juifs, mirent à profit la tradition

163

du cinéma burlesque pour combattre et discréditer, avec opiniâtreté et talent, les dangers de la politique nazie, et cela dès le début.

Adolf Hitler vient à peine d'être nommé chancelier de la République de Weimar, en 1933, que, déjà, les Marx Brothers vont dénoncer sa folie raciste et ses intentions guerrières et annexionnistes. Dans *Duck Soup* (de Léo Mac Carey, 1933), le « dictateur Groucho », truculent et frénétique, se livre à une prémonitoire hystérie destructrice dans un espace comique en délire où règnent ruses et déguisements, tromperies et mystifications qui démontrent, par l'absurde, les périls concrets du militarisme et du réarmement allemands.

Encore à la veille de la guerre, Charles Chaplin, dans *Le Dictateur* (1939), s'érige en accusateur public, il signale au monde l'imminence du conflit et dévoile les turpitudes, et les égarements, d'un « führer » proprement paranoïaque. À la fin du film toutefois, dans un sursaut d'espoir, le petit barbier juif, travesti en dictateur, adresse aux hommes de bonne volonté un appel pour la constitution d'une société de confraternité, de liberté et de paix.

To Be or Not to Be (d'Ernst Lubitsch, 1942) est situé, en 1939, à Varsovie, où une troupe de comédiens s'apprête à jouer une pièce anti-hitlérienne (elle s'intitule *Gestapo*) lorsque la guerre éclate et que se déploie l'occupation du pays, donnant ainsi prétexte à une série de chassés-croisés, de substitutions et de travestissements entre les comédiens grimés en officiers nazis, et même en Hitler, et les forces nazies, au détriment de celles-ci. Lubitsch, au moyen des ressources corrosives de l'humour yiddish, dénonce dans ce film la stupidité criminelle du discours hitlérien et la gravité de la persécution antisémite.

Ces trois comédies sont l'œuvre d'observateurs concernés, de témoins passionnés, de moralistes révoltés par le cynisme et l'attentisme du monde. Leurs films sont pétris d'acrimonie, de venin et de répulsion, ils conservent le fiel. Mais, il faut bien l'admettre, ce sont les seuls à exprimer, avec un admirable sens comique, de la *rage* et du *courroux*.

Farces et pantalonnades

Les innombrables farces troupières, qui, de 1940 à 1945, ont pour cadre la seconde guerre mondiale, se soutiennent plus prosaïquement de gros bon sens, de clichés de vieilles pantalonnades et de recettes de farces mille fois éprouvées.

Le conflit, dans ces films, n'est plus qu'un prétexte, un décor fournissant tout au plus un vague canevas. Certains comédiens y établissent cependant leur domaine privilégié.

Le duo comique Bud Abbot et Lou Costello, par exemple, est révélé par *Buck Privates* (de Charles Lamont, 1940) où ils interprètent, mollement, un rôle de jeunes conscrits en butte au règlement militaire. Ils reprennent les mêmes personnages dans *In the Navy* (d'Arthur Lubin, 1941) et deviennent, sans conteste, les acteurs comiques les plus populaires de l'Amérique en guerre. Ils dépassent même au « box office » le génial tandem Stan Laurel et Oliver Hardy, obligé, par ailleurs, d'imiter les « deux nigauds » dans leurs fades aventures guerrières.

Ni *Great Guns* (de Monty Banks, 1941) ni *Air Raid Wardens* (d'Edward Segwick, 1943), où Laurel et Hardy participent à la guerre en se ménageant un poste pas trop risqué à l'arrière-garde, n'apportent quoi que ce soit de neuf à la vision burlesque du conflit. Et le « gros et le maigre » s'enlisent dans une représentation de circonstances banales et d'anodines situations.

Antimilitarisme

Le bilan, à la fin de la seconde guerre, est pauvre : fort peu de cinéastes américains ont réalisé des films satiriques perspicaces contre le nazisme vaincu. L'atmosphère de guerre froide qui s'installe à Hollywood dès 1947, et les agissements des maccarthystes au sein de la Commission des activités anti-américaines, ramènent à plus de modération les auteurs comiques tentés, *a posteriori*, de dénoncer l'intolérance, le racisme et l'anti-ouvriérisme.

La chasse aux sorcières est ouverte et Charles Chaplin lui-même doit rendre compte, devant la Commission, du trop grand zèle antinazi exprimé dans *Le Dictateur*. Le temps n'est pas au rire.

Il faudra attendre les années 1960 pour que les grands comiques américains traitent à nouveau de la seconde guerre. Les États-Unis sont alors embourbés dans l'affaire du Vietnam. Ils y conduisent une guerre sale qu'une importante partie de leur opinion publique désapprouve, et certaines « bavures » (le massacre de My Laï, par exemple) rappellent parfois certains excès nazis. Aussi, quelques auteurs songent à réactualiser la critique du militarisme.

Le comédien Danny Kaye, pacifiste militant, le fera avec talent dans *On the Double* (de Melville Shavelson, 1962), où il reprend les figures de la méprise et du dédoublement, sur lesquelles reposaient déjà *Le Dictateur* et *To Be or Not to Be*. Et que Jerry Lewis portera à leur comble dans le délirant *Which Way to the Front* (*Ya, ya, mon général*, 1970).

Buster Keaton lui-même, depuis longtemps éloigné des studios, participe à cette nouvelle campagne anti-guerre. Il accepte d'incarner le rôle d'un étrange général américain mêlé au débarquement allié en Sicile, dans un film italien malheureusement dépourvu de qualités, *Deux Marines et un Général* (1965).

Patriotisme et réconciliation

En France, le film comique de thème guerrier n'a jamais eu son Lubitsch ou son Chaplin. La seconde guerre mondiale, il est vrai, y a été vécue autrement qu'aux États-Unis. Son caractère de guerre civile entre résistants et collaborationnistes, démocrates et vichystes, conférait d'emblée à tout traitement du sujet une dimension politique interne impossible à évacuer. La prendre en charge dans une satire burlesque aurait railleusement envenimé une situation conflictuelle entre deux groupes de Français alors que le travail de reconstruction de l'immédiate après-guerre, une fois la (discrète) épuration terminée, forçait à les réunir.

Des films extrêmement sérieux comme *Jéricho* (d'Henri Calef, 1946), *Les Portes de la nuit* (de Marcel Carné, 1946), et *Le Grand Rendez-Vous* (de Jean Dréville, 1950) se chargent de dénoncer, sans s'attarder sur des distinctions, tous types de « collabos », au nom du patriotisme et de la réconciliation nationale. Les auteurs se gardent bien de trop affiner l'analyse politique. *Les Portes de la nuit* (dont le scénario est de Jacques Prévert) qui va assez loin dans ce sens connaît – est-ce surprenant ? – un échec commercial.

Dès la fin des années 1940, la guerre froide atteint l'Europe. C'est l'époque où l'on refuse la distribution en France du virulent film d'Edward Dmytryck, *Hitler's Children* (1943), pour « excès d'antifascisme » !

Il faut attendre 1956 pour que, dans *La Traversée de Paris*, Claude Autant-Lara (avec l'aide des scénaristes Jean Aurenche et Pierre Bost) ose enfin faire rire sur les avatars tragiques de la guerre. Il dérange soudain un certain nombre d'idées reçues sur la Résistance et l'Occupation. Les deux personnages principaux de son film, un peintre célèbre (Jean Gabin) et un chauffeur de taxi au chômage (Bourvil), participent, dans un Paris nocturne et théâtral, à une opération de marché noir. Ils parcourent un itinéraire sordide où ils nous font découvrir la mesquinerie et la bassesse quotidiennes des Parisiens apeurés et égoïstes. Aucun personnage n'est positif, et, à cette majorité silencieuse qui avait traversé la guerre drapée dans une honnêteté trop souvent invoquée, Autant-Lara (qui ne s'était pas encore rapproché du Front national de Jean-Marie Le Pen) lance le célèbre « Salauds de pauvres ! » que crie Jean Gabin à un auditoire médusé, passif, figé par la couardise.

Il ressortait de *La Traversée de Paris* que les principales vertus françaises sous l'occupation allemande avaient été peu héroïques : individualisme et débrouillardise, apothéose du chacun-pour-soi. La représentation de la seconde guerre mondiale et de l'Occupation en France allait s'en trouver radicalement bouleversée.

Nationalisme et réconciliation

Le film d'humour, toutefois, n'y verra qu'une autorisation à des versions du conflit sommairement guignolesques.

On sait que le retour au pouvoir en France du général de Gaulle, en 1958, s'est traduit, au cinéma, par un accroissement considérable du nombre de films traitant de la guerre (et insistant, en particulier, sur le rôle des gaullistes de Londres et des résistants non communistes) [1]. Il y avait eu, en 1957, *un* seul film consacré au conflit, et à peine *deux* en 1958, tandis que, brusquement, il y en aura *huit* en 1959, *six* en 1960, *huit* en 1961, *sept* en 1962...

L'idéologie politique de cette avalanche de films est cependant minimale, elle se réduit le plus souvent à une simple idée : le *nationalisme*. Un nationalisme un peu court, élémentaire, du genre « chacun-chez-soi », la France aux Français, les Allemands en Allemagne.

Dans cette pléthorique production, les films comiques occupent une place singulière. D'abord parce qu'ils simplifient encore davantage la lecture de la guerre. Et ensuite parce que leur succès public est prodigieux. Ils font, avec humour, avancer l'idée chère au général de Gaulle qu'une réconciliation avec l'Allemagne demeure indispensable.

Babette s'en va-t'en guerre (1959) est le premier film comique sur la guerre, réalisé sous la Vᵉ République. Il s'agit d'une opération de prestige destinée au public le plus large. Le producteur Raoul Lévy convoque, dans ce but, un metteur en scène réputé, Christian-Jaque (auteur de *Fanfan la Tulipe*), un dialoguiste populaire, Michel Audiard, une vedette mythique, Brigitte Bardot (dont ce sera le premier film autorisé aux spectateurs de tous âges) flanquée de son partenaire du moment, le jeune premier Jacques Charrier, ainsi qu'un grand comédien comique, Francis Blanche.

Pour que rien ne manque à ce premier long-métrage sur la guerre, *tourné en couleurs,* de l'histoire du cinéma français, les forces armées apportent également leur concours.

---

1. Voir Joseph Daniel, *Guerre et Cinéma*, Paris, Armand Colin, 1972.

L'intrigue est élémentaire. Une petite servante, abandonnée par ses patrons durant l'exode de 1940, arrive à Londres fortuitement. Elle est engagée au quartier général de la France libre où on la charge d'accompagner un jeune officier dans une importante mission en France : enlever un général allemand. Ils ne parviendront à l'accomplir qu'après mille et une aventures héroï-comiques.

Ce scénario va permettre de donner une vision fort complaisante des rapports entre les « méchants » Allemands et les « gentils » Français.

Le schéma est simple. Les Allemands répondent aux vieux stéréotypes germanophobes : ils sont brutaux et bornés, disciplinés et vociférants. Leurs officiers constituent cependant, parfois, une exception. L'un d'eux, en particulier, nous est présenté comme un aristocrate prussien, portant monocle (nostalgie d'Erich von Stroheim dans *La Grande Illusion* de Jean Renoir en 1937). C'est un homme du monde, cultivé et mélomane, qui se déclare d'ailleurs vaguement antinazi. Il représente les « bons » Allemands. Et la fiction prend bien soin de ne pas le confondre avec les vrais nazis fanatiques, portraiturés dans ce film par Francis Blanche qui parvient à faire de son personnage de Papa Schultz une géniale caricature de Himmler et l'archétype cinématographique de l'« Allemand méchant » : crâne rasé et panse ronde, maniaque, lascif, grotesque, cruel et sot. Il ressemble à un dessin expressionniste de George Grosz, et assume les éternels clichés de la longue tradition « antiboche » et de la séculaire germanophobie française.

De grandes vacances

Faire rire de la guerre, au moment où la France se trouve enlisée dans le cruel conflit d'Algérie (1954-1962), répond aussi à d'autres préoccupations. Selon le réalisateur Jacques Doniol-Valcroze, il s'agit « de fournir au peuple un *opium* tricolore qui l'induise à croire que la bataille de la Résistance a été gagnée comme on trousse un vaudeville bien agencé et que donc il n'y a pas de raison pour que la guerre d'Algérie ne se gagne pas avec des chansons [1] ».

La réussite commerciale de *Babette s'en va-t'en guerre* démontre nettement que la guerre peut faire recette à condition toutefois qu'on ne l'aborde pas sous un angle *politique*. Qu'on n'incrimine pas trop la collaboration, et qu'on se contente d'en vanter trois simples dimensions : l'héroïsme, le patriotisme et, tout de même, le pacifisme.

Tout le monde doit être gentil et les méchants ne le seront que par inadvertance. D'autre part, il convient de rappeler que les Allemands sont des hommes comme les autres, les nazis n'étant qu'une exception.

Dans les films de guerre sérieux, les héros combattent pour des convictions précises (antifascisme, adhésion à la démocratie, antiracisme). Dans les films comiques, en revanche, les protagonistes deviennent résistants par hasard ou par accident, et, politiquement, ils demeurent indifférents, indécis ou même sceptiques à l'égard des diverses doctrines qui s'opposent.

Au cours des années 1960, le souvenir du conflit semble s'estomper, en particulier chez les jeunes Français. Bertrand Blier tourne même un film documentaire sur la nouvelle génération qu'il intitule très explicitement *Hitler, connais pas !* (1963). La susceptibilité patriotique étant désormais moins vive, et les codes (les garde-fous) bellico-comiques ayant été fixés, les farces filmées vont pouvoir se succéder.

Les prisonniers de guerre en deviennent même les héros, comme dans *La Vache et le Prisonnier* (d'Henri Verneuil, en 1959, avec Fernandel), *Le Caporal épinglé* (de Jean Renoir, en 1962), *Les Culottes rouges* (d'Alex Joffé, en 1963) ou *La Cuisine au beurre* (de Gilles Grangier, en 1963, avec Bourvil et Fernandel). C'est que l'heure de la réconciliation franco-allemande a sonné et qu'il convient, afin de servir la politique gaulliste, d'effacer des mémoires l'image effroyable des camps d'extermination nazis, en tentant de fixer l'idée étonnante que le séjour en stalag fut, pour beaucoup de Français, comme de *grandes vacances*.

---

1. *France Observateur*, 24 septembre 1959.

D'autres films, mieux réalisés, reprennent le principe de la guerre-spectacle, ils transforment la médiocrité profonde des personnages (piteux, mesquins, gaffeurs, pusillanimes et chauvins) en atout majeur de leur héroïsme et attribut principal de leur réussite. C'est le cas notamment de *Martin Soldat* (de Michel Deville, en 1966) ou de *La Vie de château* (de Jean-Paul Rappeneau, en 1966).

Français moyens

Mais l'indiscutable prototype de la comédie française de guerre, celle qui exprime avec le plus grand sans-gêne l'ensemble des critères énoncés ci-dessus, reste *La Grande Vadrouille*, réalisée par Gérard Oury en 1966. Elle reprend d'ailleurs de *La Traversée de Paris* le principe picaresque de la randonnée et les vertus humoristiques d'un *duo* d'acteurs (Bourvil/de Funès) déjà présents dans le film de Claude Autant-Lara.

Le départ de l'intrigue est le suivant : trois aviateurs anglais, abattus par la défense anti-aérienne (DCA), sautent en parachute. Le premier se pose parmi les phoques du zoo de Vincennes ; le second perturbe les coups de rouleaux d'un peintre en bâtiment, Auguste Bovet (Bourvil), occupé à repeindre la façade de la Kommandantur ; et le troisième atterrit sur le toit de l'Opéra, alors que le chef d'orchestre, Stanislas Lefort (de Funès), dirige une répétition.

Cette trame va consacrer le triomphe de « Français moyens » qui, fortuitement, par les aléas du sort, se trouvent placés dans une situation exceptionnelle, parfois dangereuse, et de laquelle ils vont se dégager grâce à leur habileté et à leur roublardise.

Fort gratifiant pour le spectateur, ce film illustre le passage possible de l'insignifiance sociale réelle à la gloire publique rêvée. Il démontre que n'importe quel citoyen, exposé par la fatalité à des dangers comparables, serait en mesure de développer une exceptionnelle panoplie de ressources individuelles pouvant faire de lui un authentique *héros*. À grands coups de rire, *La Grande Vadrouille* prouve qu'au fond de chaque spectateur sommeille un être d'exception.

Vraie réussite comique, *La Grande Vadrouille* connaît un formidable succès commercial. Le film est vu, en un an, par 1,3 million de spectateurs. Jamais un film français n'avait rassemblé un tel auditoire en si peu de temps. Un tel succès suscite l'émulation. Et, très vite, d'autres films vont reprendre les mêmes arguments, les mêmes personnages ou les mêmes « gags » popularisés par Gérard Oury dans *La Grande Vadrouille*.

Ainsi, par exemple, Francis Blanche retrouve son rôle de Papa Schultz dans *La Grosse Pagaille* (de Steno, en 1969), tandis que Bourvil revêt l'uniforme pour *Le Mur de l'Atlantique* (de Marcel Camus, en 1970). Cependant, le genre paraît s'épuiser dans des redites, des délayages incessants, des dérapages et des excès de vulgarité.

Favoriser l'amnésie

En 1971, un film documentaire de quatre heures, *Le Chagrin et la Pitié*, réalisé par Marcel Ophüls et André Harris, chronique de la vie à Clermont-Ferrand entre 1940 et 1944, bouscule les légendes rassurantes, dérange, rappelle de désagréables vérités, et fait mal. Censuré par la télévision, il est diffusé dans les salles et son efficacité paraît mettre un terme à l'euphorie des comédies de guerre. Pourtant, vers le milieu des années 1970, la comédie de guerre aura connu une surprenante renaissance. Celle-ci se produit à un moment où l'Europe politique se trouve en pleine consolidation et alors que le nouveau président de la République, Valéry Giscard d'Estaing (élu en 1974), a renforcé l'alliance avec l'Allemagne, allié principal, et a fait du développement germanique un modèle et un exemple pour la France.

C'est dire que ces comédies n'auront nullement l'intention de raviver des haines (ou même, simplement, de rappeler l'histoire) mais, au contraire, de *favoriser l'amnésie*.

Les Allemands, nous disent sans cesse ces comédies libérales, étaient sans doute, en 1939-1944, les plus forts et les plus puissants, mais les Français leur en ont fait voir de bien dures. Ces derniers se voient attribuer les qualités d'enfants espiègles. Ils se comportent vis-à-vis des occupants, dont la

172

supériorité est qualifiée d'*indiscutable,* comme des « zéros de conduite », des potaches agaçant leurs surveillants d'internat.

La guerre, la résistance, les combats pour la libération sont réduits à des épisodes guignolesques, sans malveillance et sans véritable hostilité. Les adversaires s'opposent sans conviction politique aucune, de part et d'autre. Leur affrontement est souvent dû au hasard ou à leur propre pusillanimité.

Le premier film fonctionnant sur ces critères s'intitule *Mais où est donc passée la 7ᵉ compagnie ?* (de Robert Lamoureux, 1974). L'action se situe en mai 1940, en pleine débâcle de l'armée française. La 7ᵉ compagnie du 108ᵉ régiment de transmissions a été capturée par les Allemands à l'exception de trois soldats (Pierre Mondy, Jean Lefèvre et Aldo Maccione) qui se trouvaient, par hasard, éloignés de leur compagnie.

Ces trois hommes décident alors de se laisser vivre en profitant des joies de la nature. Ils rencontrent cependant un officier disposé à rallier l'état-major français par tous les moyens. Et les trois soldats, à contrecœur, suivent ses ordres, s'emparent d'une dépanneuse de chars et, portant l'uniforme de la Wehrmacht, sèment la confusion parmi les troupes allemandes.

Tout le film repose sur deux figures d'antithèse, que l'on pourrait formuler ainsi : « Ils trouvent la paix en allant faire la guerre », car tout au long de leurs aventures les trois soldats ne cessent de se féliciter d'avoir été appelés sous les drapeaux, et de répéter que, comparée à l'« enfer conjugal », la guerre constitue un aimable divertissement.

Et, « battant en retraite, ils renversent l'ennemi », puisque c'est dans le but de rejoindre les lambeaux de l'armée française, fuyant vers le sud, que les trois soldats se débattent contre les Allemands.

Truffée d'invraisemblances historiques (l'armée allemande roule en camions GMC américains !), cette comédie élève au rang de vertu héroïque le caractère mi-peureux, mi-râleur, des personnages principaux. L'indifférence à l'égard de la défaite est ici absolue, nulle amertume, aucune désolation chez ces braves soldats, « hommes du peuple dépassés par la politique ». S'ils se battent encore c'est parce qu'on les y contraint ou alors pour se tirer d'affaire mais, au fond d'eux-mêmes, *ils ne se sentent guère concernés* par cette occupation.

Le succès de cette pantalonnade fut tel que dès l'année suivante Robert Lamoureux en proposait une suite : *On a retrouvé la 7ᵉ compagnie* (1975) où l'on revoit les trois compères déguisés en officiers supérieurs français, arrêtés par les Allemands et conduits dans un château-prison dans lequel, en attendant d'être envoyés au stalag, en Allemagne, sont rassemblés beaucoup d'autres gradés. Les trois soldats organiseront la fuite collective.

Le thème de l'évasion, fréquent dans le genre, fournit ici l'occasion au réalisateur d'opposer la vivacité, l'imagination et le courage des sans-grade à la couardise, au formalisme et à l'inertie de l'ensemble des officiers. Ceux-ci sont présentés comme *les seuls* responsables de la défaite. Plus que jamais, les Allemands ont un rôle bon enfant, certainement parce que le film était coproduit par une société allemande (Ciné-Produktion-Berlin) et destiné à être diffusé outre-Rhin…

Deux ans plus tard, Robert Lamoureux récidivait et réalisait un nouvel épisode des aventures de ces trois « petits soldats » : *La 7ᵉ compagnie au clair de lune* (1978). L'action se déroule sous l'occupation. Pierre Mondy, alias Chaudard, a retrouvé sa quincaillerie et entretient les meilleurs rapports du monde avec le chef des miliciens vichystes locaux, tandis que sa femme, à son insu, aide les résistants. Ses deux anciens amis de la 7ᵉ compagnie viennent lui rendre visite, et à la suite de divers quiproquos, tous trois se retrouvent transformés en résistants *bien malgré eux.*

Le principe demeure identique aux deux premiers volets. Seules les contingences et les circonstances poussent ces personnages à défendre la souveraineté de leur pays, à combattre victorieusement un ennemi maladroit et pataud.

L'humour repose sur le retournement insolite, paradoxal, des pires défauts en prodigieuses qualités. Lâcheté, vantardise, insouciance, désinvolture deviennent des dispositions indispensables pour effectuer des exploits involontaires. Le rire (lorsque rire il y a) naît du *comble* suivant : c'est le plus lâche qui sera le plus courageux ; c'est le plus docile collaborateur qui deviendra le meilleur résistant[1].

Effacer la guerre

Le sommet, cependant, du conformisme bellico-comique est atteint par *Le Führer en folie* (de Philippe Clair, en 1974) et *Gross Paris* (de Gilles Grangier, en 1974). Deux longs-métrages qui élèvent les faiblesses des films précédents au rang de règles du genre.

Ils consacrent le triomphe de la facilité, de la platitude et de la vulgarité. Pour prouver que la guerre ne doit pas faire peur, ces deux films évacuent définitivement toute référence politique ou historique précise. Le conflit devient une convention, un lieu commun dépourvu de spécificité réelle, un pur protocole fictionnel sans consistance véritable. Les Allemands eux-mêmes, aperçus de loin et de l'extérieur, n'interprètent plus qu'un rôle subsidiaire, presque superflu, et leurs motivations politiques se révèlent futiles et frivoles.

Dans *Le Führer en folie*, l'Allemagne et la France ne se font même plus la guerre. Les deux pays disputent une interminable partie de football arbitrée par Hitler lui-même (interprété par Henri Tisot, qui fut longtemps l'imitateur pour ainsi dire officiel du général de Gaulle !), ridicule pantin qui aboie des « *Acht !* », multiplie les ordres contradictoires et finit par s'enfuir, à bord d'un canot pneumatique, en... Amérique !

Tous les prétextes sont bons pour *actualiser* le cadre de l'intrigue et dire qu'en définitive la vie sous l'occupation n'était pas trop différente de celle de maintenant ; qu'on peut même en garder la nostalgie.

Dans *Gross Paris,* par exemple, l'harmonie règne entre Français et nazis qui nourrissent la même passion solidaire

---

1. Il est intéressant de noter que ces comédies illustrent, systématiquement, les trois slogans martelés sans répit, à la télévision, dans le roman *1984* de George Orwell, par le très totalitaire Parti unique. On se souvient que ces trois slogans étaient : « La guerre, c'est la paix », « La liberté, c'est l'esclavage » et « L'ignorance, c'est la force ».

pour… le tiercé ! Seule la Résistance manque d'humour et menace de mort une collaboration si innocente. Pour moins dépayser le spectateur, le roi George VI lui-même est déguisé en « reine d'Angleterre » également passionnée de tiercé. Le synopsis, d'ailleurs, afin de bien souligner l'*indifférence* des personnages principaux (un journaliste et un boucher) à l'égard de la politique, précise textuellement : « Pour eux, Sedan, Tobrouk, Stalingrad, Pearl Harbor ne seront jamais que des mots vides de sens. »

Mode rétro

Ces films, qui se proposent de revoir l'histoire, apparaissent dans un contexte cinématographique et culturel précis, celui de la « mode rétro ». On se souvient, en effet, de cette sympathie ambiguë, diffuse, maladive dont firent preuve un nombre important de réalisateurs, vers 1970-1975, en convoquant dans leurs films, avec nostalgie et précipitation, les événements politiques liés au fascisme et au nazisme ainsi que les signes frivoles qui en furent témoins.

Les plus emblématiques sont peut-être *Les Damnés* (1970) de Luchino Visconti, *Portier de nuit* (1973) de Liliana Cavani, *Lacombe Lucien* (1974) de Louis Malle ou *Stavisky* (1974) d'Alain Resnais. Ils évoquent pêle-mêle la dépression économique des années 1930 et la fascination des « vamps », la crise des démocraties et l'apogée de l'Art déco, la montée des totalitarismes et la magie du cinéma parlant, le souvenir des camps de la mort et le regret des passions fortes.

Ils dessinent vaporeusement, avec une élégance affectée, le moiré trouble, vain et fallacieux de décades mythiques. Étrangement dépourvu de hargne, leur regard en arrière n'interroge pas le fonctionnement des mentalités droitières. Et leur projet politique ou historique apparaît généralement subsidiaire, estompé et ruiné par le souci vétilleux d'ordonner un cadre esthétique déconcertant, un décor inusité. Afin de mieux montrer l'endroit d'un monde dont, pensent-ils, on avait fini par trop exposer l'envers.

Sous une forme précieuse et maniérée, réalisés par des

auteurs prestigieux, ces films « rétro » abondent dans le même sens que les conciliantes comédies de guerre. Ils brouillent les mémoires, comparent les contraires, confondent les principes, encouragent le scepticisme et, en définitive, préconisent un *raccommodement idéologique* sur fond d'amnésie.

Certaines œuvres affichent ce projet conciliateur dès le stade de leur production, résultat fréquent d'accords (à l'instar de *Lacombe Lucien,* coproduit par Halleluyah Films de Munich) avec des firmes allemandes bien disposées à les diffuser sur le marché germanique.

Collaboration franco-allemande

Les comédies de guerre, à cette époque, deviennent tellement coulantes et atteignent un si haut degré d'apolitisme que leur distribution auprès du public allemand est de plus en plus envisagée. Le nombre de coproductions s'accroît. Nous avons signalé le cas d'*On a retrouvé la 7ᵉ compagnie* cofinancé par une société berlinoise, mais déjà, en 1975, *Opération Lady Marlène* (de Robert Lamoureux) résultait d'une entente avec Tit Film Produktion de Munich et, en 1976, *Le Jour de gloire* (de Jacques Besnard) était également coproduit par Télé-Ciné Film Produktion de Berlin.

L'anecdote que racontent ces films franco-allemands est d'ailleurs significative. L'intrigue d'*Opération Lady Marlène*, par exemple, a lieu pendant l'Occupation. L'auteur transforme deux cambrioleurs minables, qui profitent des alertes aériennes pour voler les appartements momentanément abandonnés par leurs locataires, en héros de la Résistance malgré eux [1]…

Le Jour de gloire se passe à la fin de la guerre dans un petit village où séjourne une colonne de la Wehrmacht. Fortuitement, un officier allemand est abattu, et les villageois, menacés de représailles si le coupable n'est pas remis aux Allemands, se livrent à un concours de bassesses et d'abjections

---

1. Comme les héros de ces comédies, le jeune Lacombe Lucien devient lui aussi milicien vichyste *malgré lui et par hasard.*

pour forcer l'un d'eux (étranger à la commune) à accepter de devenir le bouc émissaire.

Ces deux coproductions insistent beaucoup, on le voit, sur les misères mutuelles que les Français se font entre eux. La xénophobie à l'encontre des Allemands baigne, en revanche, dans la bonhomie et constitue un prétexte à d'innocentes farces, grossières certes, mais bon enfant.

Malgré leurs précautions, leurs concessions et leur renoncement politique, ces comédies franco-allemandes ne rencontrent qu'un succès fort modéré outre-Rhin. Et bientôt, les firmes germaniques mettent un terme à cette politique de cofinancement.

Abysses

Vers la fin de la décennie, trente-cinq ans après le conflit, le genre bellico-comique paraît définitivement s'essouffler. Ses deux derniers avatars, *Le mille-pattes fait des claquettes* (1977) de Jean Girault, et *Général... nous voilà !* (1978) de Jacques Besnard, atteignent d'ailleurs les abysses de l'opprobre politique : le premier nous révèle que le STO (service du travail obligatoire en Allemagne) permit à de nombreux jeunes Français de vivre de fort rocambolesques, et non moins plaisantes aventures, aux dépens des Allemands.

L'autre (dont le titre compare hâtivement gaullisme et pétainisme) nous apprend que si les gendarmes de Vichy désertaient parfois le régime du maréchal, c'était plutôt en raison de déboires conjugaux que par conviction antifasciste.

Ainsi, vingt ans durant, les comédies sur la guerre se sont constamment appliquées à effacer des mémoires les impressions trop pénibles de la défaite, de l'occupation et de la déportation. Ces films ont parfois réussi à troubler ces souvenirs, ils sont parvenus à créer un insolite sentiment de nostalgie envers ces années tragiques 1940-1944.

Leur singulier succès commercial, notamment auprès des générations les plus jeunes, a sans doute contribué à atténuer la germanophobie traditionnelle. Par le souci d'éviter le rappel de pénibles événements et leur acharnement à édulcorer, à minimiser l'affrontement politique, ces films portent une responsabilité : celle d'avoir gommé et fait un court moment oublier la *réalité historique du nazisme.*

Bidasses et réformés

Les comédies sur la guerre et l'occupation disparaissent dès 1979 comme par enchantement (les exceptions, de qualité, qui confirment cette règle, sont *Papy fait de la résistance*, 1983, de Jean-Marie Poiré, formidable réussite comique et parodie burlesque des comédies sur l'occupation, et *Uranus*, 1990, de Claude Berri, d'après le roman d'humour noir de Marcel Aymé). Elles vont être remplacées par les *comédies de conscrits*, vaudevilles troupiers dont le nombre s'accroît soudain spectaculairement : un seul film de ce genre en 1975, un autre en 1976, aucun en 1977, puis, d'un seul coup, *quatre* en 1978, et *cinq* en 1979.

Ces films relèvent d'une vieille tradition du cinéma français[1] qui présente l'époque du service militaire comme un temps drolatique d'initiation à la vie d'homme. À l'origine d'ailleurs de cet engouement se trouve le succès des *Bidasses en folie* (de Claude Zidi, 1974), avec les comédiens-chanteurs les Charlots, film qui reprenait le mot « bidasse » lancé en 1910 par le comique troupier Bach et sa chanson *Avec l'ami Bidasse.*

La fortune nouvelle de cette appellation stupéfie. En quelques années, pas moins de *six* films l'intègrent dans leur titre (*Les bidasses s'en vont en guerre, Les bidasses en cavale, Arrête ton char, bidasse, Embraie, bidasse, ça fume, Les bidasses au pensionnat, Les bidasses en vadrouille…*).

Il y a aussi la série des « réformés » (*Comment se faire réformer, Les réformés se portent bien…*) et d'autres comme *C'est dingue mais on y va, Et vive la liberté, Bête mais discipliné,* etc.

---

1. Voir Jacques Demeure, « Les bidasses, ou la continuité du cinéma français dans la débilité », dans *Positif, n° 211,* p. 50. Ainsi que Jean-Pierre Jeancolas, *Le Cinéma des Français,* Paris, Stock, 1979 ; en particulier, au chapitre III de la quatrième partie, le paragraphe intitulé « Des godillots aux rangers », p. 262.

Cet humour gras de caserne se donne parfois l'allure d'un certain antimilitarisme, mais il est trop récupérateur pour qu'on le prenne pour une authentique satire. Le vrai discours antimilitariste à l'écran se fonde sur le projet politique de dénoncer la *différence radicale* qui existe entre la société militaire et la société civile.

Alors que ces nouvelles farces troupières se gardent bien de dénoncer l'armée comme une micro-société fermée, opposée à ces principes démocratiques qui mineraient son équilibre et ruineraient son pouvoir. Au sein de l'institution militaire, ce n'est pas la liberté qui est la règle, mais la soumission et l'obéissance. Ce n'est point l'égalité qui est le principe mais la gradation et la hiérarchie. C'est en termes de force, d'agression et de destruction qu'elle exprime souvent sa conception du progrès et sa modernité. Travers que tant de films antimilitaristes ont dénoncé, particulièrement *Les Sentiers de la gloire* (1957), et *Full Metal Jacket* (1985), tous deux de Stanley Kubrick ou *Les Hommes contre*, 1970, de Francesco Rosi et *Johnny s'en va-t-en guerre*, 1971, de Dalton Trumbo.

Envers de la société libérale, nostalgique du conservatisme, l'armée, dans de nombreux pays, manifeste un attachement crispé pour les valeurs du passé. Les raisons abondent de vilipender certaines prérogatives antidémocratiques dont se soutient parfois la société militaire. Pourtant, ces comédies de troufions répètent à satiété les recettes dégradées d'un cinéma canonique élaboré à base de stéréotypes, d'idiolectes et de généralités. Ces films burlesques obéissent à des conventions figées et ne se démarquent les uns des autres que par les répétitions honteuses (on reprend la structure en variant légèrement le contenu, sans modifier le répertoire des gags) ou par l'échange des mêmes acteurs (il y a des abonnés à l'uniforme hilarant comme Pierre Tornade, ou Charles Gérard).

Comédies de maintenance, d'entretien, elles se révèlent exténuées, consumées avant même d'atteindre leur public. Elles sont portées par une parole doxale, monocorde, externe, sans surprises ni alertes : sans palpitation. Les auteurs banalisent sans répit.

Corrector morum

Un autre rire, plus offensif, sur l'armée et ses travers demeure certainement possible, mais pour permettre qu'il s'épanouisse, il faudrait affiner l'analyse, repenser la vulgarité et se pétrir d'irrévérence. Cela, dans le pays de Molière et de Beaumarchais, de Max Linder et de Jacques Tati, beaucoup de cinéastes comiques ne savent pas le faire, et leurs farces troupières manquent d'inspiration. Leur effet comique tient davantage aux ressources de dialogues conventionnels qu'à des situations paradoxales et réellement conflictuelles.

Ainsi, la plupart des films comiques sur la guerre (le contre-exemple, nous l'avons dit, reste *Papy fait de la résistance*), reconvertis en bouffonneries de recrues, ont cessé définitivement d'avoir la satire pour visée et l'indignation pour muse.

Longtemps, ces films bellico-comiques se sont contentés d'évoquer de manière assez nostalgique une période de l'histoire dont ils reconnaissaient les difficultés (défaite militaire, occupation, rafles, rationnement, déportation, résistance), tout en nous assurant que c'était le bon temps.

Le ton persifleur qu'ils ont consenti parfois à adopter témoigne davantage de conformisme que d'un véritable esprit de fronde, et consacre la pitoyable revanche de ces « salauds de pauvres », pris à partie par Autant-Lara dans *La Traversée de Paris*, qui, trompés, battus, trahis, se consoleraient en imaginant, *a posteriori*, que leur individualisme et leur chafouinerie auraient suffi sinon à vaincre les Allemands, du moins à les tirer, eux, d'affaire.

En flattant les penchants combinards et matois des spectateurs français et en occultant les graves dimensions politiques du conflit (qu'avaient su, en revanche, si bien souligner Chaplin, Lubitsch ou les Marx Brothers), les réalisateurs de ces films ont méprisé et abusé leur public. Ils ont oublié que la comédie ne peut être efficace que lorsqu'elle se veut *corrector morum,* et lorsqu'elle s'épanouit dans les rires d'espoir d'un peuple, certes réconcilié avec sa gestuelle et sa gouaille, mais, aussi, intensément accordé avec ses aspirations politiques profondes.

L'*effet* Shoah

Après deux décennies de moqueries guerrières, quand l'uniforme et les casques lourds de la Wehrmacht n'étaient plus, dans l'esprit d'un large public, que déguisements clownesques et tenues de pitres, quand les SS et la Gestapo n'étaient appréhendés que comme des bouffons brailleurs ou des gugusses dérisoires, quand tout l'appareil de répression hitlérien n'était plus perçu que comme une sorte d'institution souffre-douleur à la merci de n'importe quel petit Français malin et finaud, on découvre sur les écrans de télévision les images de la série *Holocauste*, puis celles, surtout, du magistral documentaire de Claude Lanzmann, *Shoah*, et celles enfin du film de Steven Spielberg, *La Liste de Schindler*. Devant ces versions si radicalement différentes de la fureur nazie, le grand public, gavé depuis des décennies de farces guerrières, en demeurera stupéfait et bouleversé.

L'importance de cette émotion, de cette stupeur et de cette perception du nazisme comme *système cannibale,* est à la mesure de l'aliénation, de la *distraction* entretenue par la succession incessante de comédies mystificatrices et trompeuses qui tentèrent, trente ans durant, de faire oublier les images de *Nuit et Brouillard* (d'Alain Resnais, 1956), de *L'Enclos* (d'Armand Gatti, 1960) ou du *Chagrin et la Pitié* (d'Ophüls et Harris, 1971) et de persuader clandestinement les spectateurs que la guerre avait été un grand amusement. Elles déguisèrent la vérité sur le nazisme, dissimulèrent ses dangers et abusèrent leur auditoire.

Certains sociologues se sont d'autant plus fortement étonnés de l'impact de masse d'*Holocauste*, de *Shoah* et de *La Liste de Schindler* qu'ils n'avaient guère prêté une attention suffisante au *travail d'oubli,* régulier et méthodique, conduit silencieusement durant des dizaines d'années par les comédies de guerre.

Un des effets de ces trois films aura été de supprimer, radicalement, l'envie de rire aux dépens de la guerre et de ses drames tragiques. L'exception qui confirme cette règle étant, bien sûr, en 1998, le chef-d'œuvre de Roberto Begnini : *La vie est belle...*

Le cinéma militant :
crise d'un discours de pouvoir

> J'appelle discours de pouvoir tout discours qui
> engendre la faute et, partant, la culpabilité de celui
> qui le reçoit.
>
> ROLAND BARTHES

Du cinéma de salle au film militant, ce qui tombe c'est le plaisir. Cette ablation, cette censure, constitue la motion de garantie d'un ton grave, rassis, réfléchi, car le cinéma militant – qui fleurit en Europe dans les années 1970 – est un genre sérieux et même, osons le dire, ennuyeux. Il barre fréquemment à l'Éros (ce résidu hédoniste de Mai 68) l'accès à un discours filmique que l'Injustice fonde, que l'Émotion soutient, que la Douleur sature. Un discours qui, amputé de sa fonction ludique, dérape malgré lui sur le politique et s'insère de fait dans le continent glutineux du « pathos ».

Langage de contre-idéologie, le cinéma militant s'imagine pour autant parler d'un lieu pur, digne, innocent. L'aval donné à une « grande cause » (la prise du pouvoir par le prolétariat) ne peut cependant pas légitimer (à nos yeux) le caractère arrogant et proprement dogmatique de ce contre-discours qui se borne d'ordinaire à naviguer en surface de l'idéologie qu'il prétend équarrir sans perturber aucunement les lois (syntaxiques, rhétoriques, scénographiques) de la représentation qui organise sa scène.

Le champ du réel, caution majeure de la Vérité, constitue

183

sa référence obsessionnelle et, aussi, son alibi. À l'abri duquel les caméras militantes croient, à tort, se soustraire à la « culture bourgeoise » qu'elles voudraient incriminer. Au lieu de procéder à l'anamorphose du réel, le mal-cadré, le sale, le tremblé, l'imparfait, le mal-réglé, le sur-exposé (« figures » fréquentes du texte filmé militant) opèrent le plus souvent comme de simples *procédés de genre,* des multiplicateurs d'effet-de-réel (dont la fonction mystificatrice a été dévoilée par la sémiologie). Ils grattent et oblitèrent le léché habituel des films commerciaux, mais ne déplacent pas vraiment le langage de ceux-ci. Ils ne le disséminent pas, et maintiennent interdit, forclos, le *symbolique.*

Tranches de réalité

Car le réel constitue d'évidence son ancrage obstiné et une archéologie du cinéma militant nous ferait remonter, à travers l'histoire du « documentaire social », vers ces ouvriers de Montplaisir sortant des usines Lumière dans les premières images jamais filmées qui nous informaient alors autant sur l'avènement du cinématographe que sur la condition ouvrière à Lyon à la fin du XIXᵉ siècle.

Une longue lignée de cinéastes restera à jamais sensible à la dimension historique des documents Lumière, à ces jeux d'ombres capables de dévoiler des inégalités sociales et de révéler la misère sociale. Car, avec le cinéma et ses images d'une force d'évidence stupéfiante, Lumière a inventé (malgré lui) la « distanciation ». De plus, pour filmer des « tranches de réalité », les documentaristes deviennent reporters (puisque l'événement doit avoir réellement lieu devant la caméra), ils devront donc approcher les gens pour les saisir dans leur effort quotidien, dans leur peine, et cette approche va se révéler inévitablement *politique.* Les « fards » de la mise en scène et les « trucs » de la fiction s'imposeront plus tard, pour émerveiller les masses, les séduire, les distraire... Les cinéastes militants diront : pour les aliéner.

Dziga Vertov, en Union soviétique, théorise en premier, après 1917, le « déchiffrement documentaire du monde visible ». Il conçoit son Ciné-Œil comme « un lien, par la vision, entre les travailleurs du monde entier, sur la base d'un échange de faits, de ciné-documents, fixés par l'appareil », et il ajoute : « Toutes les productions du Ciné-Œil sont faites hors du studio, sans acteurs, sans décors, sans scénario, et sans jeu. Ce sont des films documentaires qui ont pour objet d'ouvrir de nouvelles voies révolutionnaires dans l'histoire du développement du cinéma qui n'a pas pour objet le "jeu". Ciné-Œil, c'est le film à son poste communiste[1]. »

Aux États-Unis, Robert Flaherty personnalise profondément la mise en scène documentaire, surtout à partir de *L'Homme d'Aran* (1934), qu'il réalise avec les cinéastes de l'École britannique réunis autour de John Grierson. Ce groupe considère que « l'imaginaire prolifère sur l'image comme son cancer naturel[2] », et consacre autant d'attention aux recherches « esthétiques » de l'avant-garde française (Jean Vigo, Luis Buñuel, Jean Epstein) qu'à l'expression de la « conscience du social » chère à Vertov. Leurs films seront les « reflets lyriques » des amères réalités britanniques au moment de la crise des années 1930.

Les misères sociales que cette même crise développe en Amérique entraînent le photographe Paul Strand à fonder le groupe new-yorkais Frontier Film dont les documentaires dénonceront, avec l'efficacité rhétorique du montage hollywoodien, la brutalité répressive d'un patronat aux abois.

Ces mêmes années 1930 voient se mettre en place, partout où les partis de gauche (notamment communistes) sont puissants (Allemagne, France, États-Unis, mais aussi, par exemple, Cuba), des réseaux de production et de diffusion de films de contre-propagande, ancêtres directs des films militants des années 1970.

---

1. Dziga Vertov, *Le Ciné-Œil,* dans *L'Art du cinéma,* par Pierre Lherminier, Paris, Seghers, 1961, p. 407 et 408.

2. Edgar Morin, *Le Cinéma ou l'Homme imaginaire,* Paris, Gonthier, *Bibliothèque Médiations, n° 34,* 1965.

Propagande communiste

En France en particulier, dans la montée du Front populaire, les cinéastes du PCF créent, en 1934, l'Alliance du cinéma indépendant, à laquelle le Comité central du parti accorde, pour la première fois, un budget destiné à payer la production d'un long-métrage de propagande en faveur des thèses communistes. La responsabilité de la réalisation sera confiée à Jean Renoir qui s'entoure notamment de Jacques Becker, de Jean-Paul Le Chanois et d'Henri Cartier-Bresson.

Sous le titre *La vie est à nous*, Jean Renoir met en scène le rapport intitulé *Une politique de grandeur française* que le secrétaire général du parti, Maurice Thorez, avait présenté en janvier 1936 au VIIe congrès du PCF à Villeurbanne.

Film quelque peu mythique pour tous les cinéastes militants français, *La vie est à nous* fut interdit par la censure. Le parti communiste décida alors de constituer un réseau clandestin de points de projection (nommé Ciné-Liberté) pour diffuser intensivement son long-métrage. C'est d'ailleurs autour de Ciné-Liberté que naît le projet de réaliser un autre film, par souscription populaire cette fois, pour célébrer le centenaire de Rouget de Lisle, auteur de *La Marseillaise*, hymne national, dont Maurice Thorez venait de dire : « Elle est l'expression brûlante de la volonté du peuple, de son élan, de son héroïsme ; elle est la Révolution elle-même[1]. »

Jean Renoir, de nouveau, réalisa *La Marseillaise*, en 1937, qui proposait de la Révolution de 1789 une vision conforme à l'analyse conciliante (le mot d'ordre du parti était à l'époque : « Pour l'union du peuple de France ») que le PCF faisait de la situation politique. Le film fut un échec, il ne plut guère au grand public. Et avec le reflux du Front populaire et l'épuisement de l'élan syndicaliste, Ciné-Liberté mit fin à ses activités.

Cette période (pourtant brève et peu prolixe en films) a marqué profondément la mémoire des cinéastes militants.

---

1. Maurice Thorez, *Fils du peuple*, Paris, Éditions Sociales, 1948, p. 97 (cette phrase ne figure plus dans l'édition « revue et mise à jour » publiée en 1960).

Profitant des sympathies qui s'attachent à toute l'époque du Front populaire, elle apparaît comme une sorte d'âge d'or du cinéma politique, et elle a procuré, un temps durant, des modèles de comportements aux cinéastes militants français. Ceux-ci, quelle que soit leur orientation politique, ont ainsi en commun, avec leurs aînés, plusieurs attitudes. En premier lieu, le souci d'*être articulés à une organisation politique* chargée de « fixer la ligne ». Ensuite, la *docilité* à l'égard de celle-ci que les cinéastes se bornent à illustrer en acceptant « le partage des tâches » (l'idéologique revient au parti, la réalisation pratique aux professionnels du cinéma). Troisièmement, la production par *souscription populaire* qui se substitue au producteur « capitaliste » par excellence des films commerciaux. Enfin, la *diffusion par des réseaux parallèles*, hors des circuits « viciés » par les « images bourgeoises ».

Une seule composante de ces « productions de parti » n'a pas été reconduite : le *professionnalisme* du réalisateur. Le cinéaste militant n'est plus nécessairement (bien qu'il le soit souvent) un professionnel, et cela parce que des accélérations techniques se sont produites qui ont bouleversé les méthodes de réalisation.

Cinéma direct

Vers la fin des années 1950 s'est produite, en effet, la coupure du *direct*. L'allègement des caméras et, surtout, la synchronisation de la prise de son vont permettre une considérable transformation de tout le cinéma documentaire. On sait comment [1] les Américains Richard Leacock, les frères Maysles et Donn A. Pennebaker développèrent les techniques du « direct » et comment le cinéma québécois se constitua, en grande partie, autour de cette découverte.

En France, Jean Rouch et Mario Ruspoli mettront à profit ces nouvelles techniques pour proposer un regard d'ethnologue sur la quotidienneté.

1. Voir Gilles Marsolais, *L'Aventure du cinéma direct*, Paris, Seghers, 1974.

Suremployé, banalisé par la télévision, le direct s'est radicalisé politiquement après Mai 68. Des cinéastes (Jean-Luc Godard, notamment) réfléchissent à la tradition documentaire soviétique (Dziga Vertov, Alexandre Medvedkine) et se réfèrent directement au travail exemplaire du documentariste néerlandais Joris Ivens. C'est du creuset de Mai que naît le nouveau *cinéma militant.*

Pour l'Europe occidentale, on le sait, Mai 68 marque la fin d'un temps, d'une époque. Cependant, le spectacle cinématographique va se montrer incapable (malgré les tentatives de Jean-Luc Godard dans *Tout va bien,* et de Marin Karmitz dans *Coup pour coup*) de modifier en conséquence ses normes de production et d'aborder sur un ton nouveau les thèmes et les sujets que réclame une situation si profondément bouleversée.

Et l'apparition des « films à thèse politique » (du style *Z,* ou *État de siège* de Costa-Gavras), qui se plient aux règles rhétoriques et aux impératifs économiques dominants, ne change rien, puisqu'il semble qu'un certain type de récit politique soit devenu largement caduc.

Films d'offensive

C'est alors, au sein des conflits sociaux, que commence à s'épanouir un cinéma militant d'offensive politique. Quelques cinéastes professionnels mettent au service des comités ouvriers leur technicité et leur savoir cinématographique. Avec des équipes réduites, un matériel très léger, en vidéo parfois ou même en super-8, ils analysent les sources d'une situation conflictuelle, l'organisation et le déroulement d'une grève, bref, les raisons d'un combat.

Ce cinéma va privilégier deux thèmes directeurs : les tares sociologiques du *monde du travail,* et *la grève* comme crise paroxystique des relations professionnelles. La grève surtout, par l'extraordinaire dynamisme qu'elle libère en ces années exaltées, fascine les nouveaux cinéastes militants.

Ceux-ci participent même, quand ils le peuvent, à la grève, ils en arpentent le déroulement, pour rapporter un témoignage fidèle sur son organisation concrète. Ils filment et montrent des grèves *in vivo*, non encore terminées. Des grèves dont le film lui-même peut infléchir le développement puisque le tournage est conçu comme une activité collective, désaliénante, qui fait partie des loisirs des grévistes. La mise en scène d'abord, et la projection du film ensuite, par la distanciation qu'elles exigent des grévistes (acteurs et spectateurs à la fois), permettent souvent une réflexion collective sur la justesse politique de certaines revendications.

L'Heure des brasiers

Les Argentins Fernando Solanas et Octavio Getino furent les premiers, historiquement, dans *L'Heure des brasiers,* en 1968, à articuler si concrètement le cinéma à la lutte populaire et, plus précisément, un film à une grève.

Mais un des films les plus influents sur ce thème, en Europe, fut *Grève et occupation d'Apollon,* réalisé en 1971 en Italie par Ugo Gregoretti, autour d'un conflit qui opposa durant onze mois les travailleurs d'une imprimerie à son propriétaire.

« Joué » par les propres ouvriers de l'usine, et terminé dans sa première partie durant le septième mois d'occupation, sa projection et le débat qui s'ensuivit permirent aux travailleurs de reconstituer, et de reconsidérer, les diverses phases de leur lutte, de clarifier la genèse du conflit, et de raffermir, sur des positions de classe, leur espoir d'aboutir. La seconde partie, moins chronologique, davantage politique, intégrait des discussions, des réflexions nouvelles, et conférait à l'ensemble une surprenante force d'analyse.

Largement diffusé en France, *Grève et occupation d'Apollon* fut souvent imité, pas toujours avec la même humilité dont avait fait preuve Ugo Gregoretti. Ensuite viendra, arrogant, le déferlement des images surmilitantes.

Contre-information

C'est à cette époque également que naît le *cinéma clandestin espagnol.* L'Espagne franquiste offrait certes un terrain de choix pour vérifier certaines des ambitions du cinéma militant, en particulier dans le domaine de la contre-propagande et de la contre-information. Le pays supportait, depuis 1936-1939, le martèlement des médias franquistes. Ceux-ci possédaient le monopole de l'information et répandaient sans désemparer des slogans figés dans le but de *dépolitiser* un peuple continuellement confronté par ailleurs à l'injustice sociale, à la brutalité policière et à toutes sortes d'abus.

En de telles circonstances, la contre-information et la contre-propagande se révélaient indispensables au rétablissement de la vérité, concernant surtout les luttes de résistance, les grèves, les luttes contre l'État franquiste.

Après la création, et la consolidation, en 1962, des commissions ouvrières (syndicat clandestin, lié au Parti communiste d'Espagne), la sécurité de l'opposition se renforce et la clandestinité gagne en efficacité. Peu à peu, les organisations politiques et ouvrières abandonnent leur attitude de repli et décident de prendre en main l'*information* concernant les luttes qu'elles conduisent : des journaux et des tracts diffusent les objectifs des conflits, rendent compte des débats, consignent les difficultés, témoignent de la répression, et soudent enfin la classe ouvrière.

En 1969, avec l'exemple de *L'Heure des brasiers* en mémoire (ce film, dont le coauteur Octavio Getino est un Espagnol exilé en Argentine, avait circulé en Espagne dans des réseaux de ciné-clubs ; son contenu peroniste – Perón, ancien allié de Franco, était alors réfugié à Madrid – avait désorienté les censeurs franquistes qui, en fin de compte, autorisèrent la diffusion restreinte de ce film révolutionnaire), un groupe de jeunes cinéastes espagnols propose de se constituer en collectif. Afin de produire des films de contre-information conçus pour être des moteurs de réflexion dialectique, et de contribuer, dans une certaine mesure, à la mobilisation des citoyens.

Les syndicats clandestins accueillent ce collectif et mettent à sa disposition leurs dossiers et leurs militants. Désormais, un cinéma antifranquiste d'offensive sociale devient possible. Des comités de base se forment dans beaucoup de villes ou régions d'Espagne, à Madrid, à Barcelone, à Bilbao, dans les Asturies, la Galice, l'Andalousie. Ils ont pour tâche essentielle de se procurer des documents (visuels, sonores) qui prennent le régime en flagrant délit de fascisme.

Pour des raisons de sécurité, chaque comité, très sommairement équipé, jouit d'une relative autonomie. Cela lui permet de filmer ou de photographier les incidents politiques qui lui paraissent le mieux refléter les contradictions du pouvoir. Les preneurs de sons et les opérateurs sont aussi des militants politiques. Lorsqu'une protestation, un conflit, éclatent, ils se rendent (avertis par les syndicats) sur les lieux et, dissimulés, enregistrent les images/sons qu'ils peuvent. Dans les jours qui suivent, un membre du comité local quitte le pays pour rejoindre à l'étranger (Paris ou Rome) le petit groupe de coordination (le groupe le plus actif était dirigé à Paris par Miguel Ibarrondo) qui fait développer et tirer les bobines puis qui procède au montage.

Une fois le film étalonné et sonorisé (avec l'aide souvent des pays nordiques ou des États socialistes d'Europe de l'Est), plusieurs copies revenaient en Espagne pour y circuler clandestinement et alimenter, dans des cercles ouvriers, dans des foyers étudiants ou dans des ciné-clubs de paroisse, des débats sur la situation politique en Espagne.

Certains de ces films furent vus ainsi par plusieurs dizaines de milliers de personnes. D'autre part, à travers ce même réseau de diffusion, circulaient des œuvres classiques du cinéma politique comme *La Grève* de Serguei Eisenstein, *Le Sel de la terre* de Herbert Biberman ou *Mourir à Madrid* de Frédéric Rossif.

Parmi les nombreux films clandestins espagnols, certains furent tournés dans des circonstances assez héroïques qui prouvent la témérité des cinéastes militants lorsqu'il s'agissait d'obtenir des images particulièrement révélatrices d'une injustice politique.

Ainsi, par exemple, pour réaliser une séquence du film *Luttes ouvrières en Espagne* (1974), où l'on voyait les syndicalistes condamnés lors du célèbre Procès 1001 (et notamment le dirigeant des commissions ouvrières, Marcelino Camacho) dans leurs cellules de la prison de Carabanchel et dans la cour de la prison (ils y chantaient *L'Internationale* et levaient le poing en regardant l'objectif), les cinéastes militants introduisirent subrepticement une caméra japonaise miniaturisée à l'intérieur de la maison d'arrêt. C'est un surveillant complice qui accepta de prendre ces images insolites. Elles firent ensuite le tour du monde, achetées par de nombreux réseaux de télévision.

D'autres rivages

Mais à cette époque déjà, dans le reste de l'Europe, le cinéma militant traversait une grave crise d'identité. Crise que trois films en particulier, *Milestones* de Robert Kramer, *Ici et Ailleurs* et *Numéro Deux* (1975) de Jean-Luc Godard, allaient mettre spectaculairement en relief. Apparaissaient soudain, par comparaison, l'arrogance friable des démonstrations mesquinement dogmatiques, le didactisme, les certitudes péremptoires et le volontarisme intransigeant des films militants.

Ni Godard, ni Kramer, dans ces films, ne s'opposaient, sur son terrain, au surpouvoir télévisuel. La télévision, et sa prétendue capacité à laver les cerveaux, ne constituaient point leur surmoi, ils ne cherchaient pas à faire d'un film un médium de masse à lui tout seul. Godard et Kramer déplaçaient soudain l'ordre du discours militant vers d'autres fronts, l'éloignaient du syndicalisme plat, remorqué. Ils le faisaient dériver vers d'autres rivages de vie, abordant, politiquement mais légèrement, les thèmes de la vie ordinaire que les cinéastes militants s'obstinaient à forclore. À savoir : la sexualité, la femme, le corps, les enfants, la mémoire individuelle, la famille, le couple... En nous faisant, à la fois, prendre conscience, en tant que citoyens, et prendre plaisir, en tant que spectateur.

Ces films, comme d'autres qui suivront et se démarqueront de la période pure et dure, terne et blafarde, utilisaient et assumaient la *fiction*. Ils l'articulaient à un discours politique béant, troué, conscient certes des stratégies mais indifférent aux tactiques. Un discours non dogmatique et radicalement subversif.

Les nouveaux cinéastes militants élaboraient ainsi un cinéma d'intervention sociale non plus obnubilé par la réalité du monde (leurre de toutes les normativités), mais préoccupé du *sujet*. Ils réintroduisaient surtout, dans une problématique militante caractérisée par le didactisme, l'efficacité, l'impact et le prosélytisme (qualités qui reposent toutes sur une surévaluation de l'influence du cinéma, piège dans lequel tombent d'ordinaire, aussi, les publicitaires), un débat vivifiant et fondamental sur l'art et l'esthétique révolutionnaires.

Certains se souvenaient de Gramsci, ce théoricien marxiste qui aimait rappeler aux partisans de l'« art pédagogique » : « Si l'art éduque, il le fait en tant qu'art et non pas en tant qu'art éducatif car, s'il est éducatif, il cesse d'être art, et un art qui se nie lui-même ne peut éduquer personne. »

À force de privilégier la prédication de catéchismes politiques et de négliger la spéculation cinématographique (esthétique), de nombreux films d'offensive se sont retrouvé enfermés dans leurs boîtes, n'osant plus affronter l'hostilité à leur égard des spectateurs militants.

À la fin des années 1970 apparut une nouvelle génération de cinéastes militants (ils préféraient d'ailleurs se dire « d'intervention »), qui se dégageait des discours d'appareils et de la lourdeur des dogmes. Leurs films se voulaient plus personnels, et faisaient une large place à l'opinion, aux méditations personnelles du réalisateur qui évitait d'être péremptoire, tranchant, qui se découvrait, en somme, une dimension poétique et une certaine fragilité.

Le fond de l'air

De ce point de vue, le film de Chris Marker, *Le fond de l'air est rouge* (1978), qui évoquait dix ans d'événements révolutionnaires dans le monde, est fort intéressant car il perturbait la quiétude des discussions académiquement politiques et suscitait le débat autant qu'il y intervenait. Ce film, parce qu'il constitue sans doute une importante date de rupture dans l'histoire du cinéma militant en Europe, mérite qu'on s'y attarde un peu.

Depuis ses premiers films, Chris Marker nous a habitués à recevoir la réalité documentaire au travers du filtre sensible de ses émotions. Il n'exprime jamais le point de vue d'un appareil ou d'un parti. L'avancée de l'histoire, il parvient à la saisir dans l'hésitation des hommes, la fragilité des gestes. Il se veut *témoin concerné* et son œuvre supporte, avec une élégance reconnue, sa solitude de cinéaste de fond.

Renonçant au positivisme glacé des analyses marxistes et s'opposant à un certain optimisme de gauche dominant, Chris Marker dispose en images douloureuses son écorchure politique et celle de sa génération. Il évoque dans cette œuvre, quatre heures durant, en remontant les films des autres, l'histoire des espoirs brisés, des rêves dissipés par des réveils d'horreur. Pour expliquer quinze années du monde (1960-1975), il observe dans le menu quatre luttes exemplaires qui, en un certain sens, contiennent toutes les autres, à savoir : Cuba et le Vietnam, Prague et Santiago.

D'une part, les combats inégaux, héroïques, de deux pays pauvres contre l'impérialisme américain ; d'autre part, les édifications tremblantes d'un socialisme démocratique renversées successivement, à Prague en août 1968, par une crispation néostalinienne, et à Santiago du Chili, en septembre 1973, par les manipulations nord-américaines. Quatre lieux politiques privilégiés dont les contradictions se croisaient déjà, selon Chris Marker, dans les bouillonnements exaltés du Mai 68 français.

Le fond de l'air est rouge dévoile, avec la même fougue, les périls conjugués de l'impérialisme et du stalinisme. Il révèle le cynisme équivalent de ces deux super-idéologies et on ne sait, à ce propos, ce qui effraie le plus, si ce sont les commentaires carnassiers d'un pilote d'hélicoptère durant la guerre du Vietnam, ou le discours du procureur du parti communiste durant le procès Slansky à Prague en 1952. Aux machines impériales répondent les logiques staliniennes : sortir des unes pour entrer dans les autres (cas néfaste du Cambodge sous Pol Pot), c'est réellement, nous dit Marker, tomber de Charybde en Scylla.

Cette évidence conduit le cinéaste à certaines révisions déchirantes, notamment à l'égard de Cuba et de Fidel Castro dont il présente le régime, à l'époque, de plus en plus « fasciné par les formes du modèle soviétique ». Révision probablement douloureuse pour un réalisateur qui avait si longuement et si brillamment soutenu la générosité révolutionnaire des paris cubains (voir *Cuba Si* ou *La Bataille des dix millions*). En laissant trembler les images de Fidel Castro approuvant l'entrée des tanks dans Prague, Chris Marker nous indique sans ambiguïté de quand date le début de son désenchantement cubain.

Si le film atteint sa plus forte densité dramatique durant les *lamentos* qui le scandent (rappelons l'impressionnante séquence d'ouverture sur les répressions, ponctuée par la musique nocturne de Luciano Berio, ou la suite d'enterrements de « martyrs du peuple » de tous les continents), il n'est guère dépourvu de cet humour désabusé propre à Marker. Il se manifeste dans un certain nombre de gags brillants (outre ceux des micros de Fidel Castro ou des cocoricos d'André Malraux et de Michel Debré, il y a celui, génial, du coup sur l'urne que frappe Staline en votant).

Mais le ton général est au pessimisme et la séquence finale de l'atroce chasse au loup ne laisse, dans sa métaphore, aucune véritable solution de rechange aux *hommes libres* car, entre la machine volante meurtrière ou la haine sauvage des loups, nul ne voudrait choisir.

Malgré les échecs de tous ces hommes fous de liberté (Marker, dans un texte de présentation de son film, est net sur ce point : « Tous, dit-il, ont échoué sur les terrains qu'ils avaient choisis »), le fond de l'air demeure rouge. Le temps des luttes frontales lui paraît terminé, il ne resterait que les guerres de dissémination, ces rongements tous azimuts auxquels Marker malheureusement ne consacre vers la fin que quelques images : offensive des femmes, insubordination des soldats, sursauts écologistes, fractures de la morale, luttes urbaines.

Attitudes seules capables de miter l'imbrication des pouvoirs et de ruiner, en même temps, l'impérialisme et le stalinisme, ces rives oppressantes contre lesquelles coule ce film d'intervention.

La cause des femmes

À la même époque, un autre film, *Mais qu'est-ce qu'elles veulent ?* (1978), de Coline Serreau, tranche également par le ton nouveau de sereine conviction qu'il impose à l'acquis féministe. Il confirme, d'autre part, l'intelligence filmique des femmes-cinéastes dont l'intervention sur leur front de lutte a profondément perturbé le ronflement satisfait des mâles militants (ainsi, aux États-Unis, l'importance politique de cinéastes comme Cinda Firestone, Barbara Kopple ou Lorraine Gray). Ce sont elles qui sauvent les images politiques en affirmant qu'intervenir, c'est militer avec légèreté, avec délicatesse, avec poésie.

Du militantisme à l'intervention, ce qui tombe donc, c'est la pesanteur des certitudes. Il faut reconnaître que cette nouvelle sensibilité naît en partie des décombres du gauchisme et notamment des illusions qui se disloquent contre les dures réalités du Goulag, du Cambodge et de la démaoïsation. Le radicalisme khmer-rouge en particulier, qui quadrillait, à huis clos, un pays tout entier et soumettait la population (au nom de l'accumulation socialiste) à un régime de bagne et à un génocide, glace brutalement les enthousiasmes généreux des générations militantes d'après 68. Les derniers rêves de Mai (ceux, surtout, qui s'élaboraient sur l'idée d'une prise *du* pouvoir) se sont fracassés, effrayés, sur la radicalité du cauchemar cambodgien.

Beaucoup de militants ont vu dans le délire khmer-rouge une confirmation soudaine de leurs craintes sur les périls autoritaires d'une « violence juste » au service de l'État. Ils s'interdiront désormais toute désinvolture révolutionnaire qui leur permettait, sous prétexte de « priorités historiques », d'escamoter le droit aux libertés dites formelles. La non-violence, l'écologie, l'aspiration à la différence, la tolérance (luttes douces) hériteront de l'expérience militante des organisations « dures » de l'après-Mai.

Je suis un autarcique

L'intolérance de naguère fait d'ailleurs l'objet d'une sévère critique dont témoignent des films marginaux et singuliers réalisés par d'anciens militants. Le plus symptomatique d'entre eux est certainement *Je suis un autarcique* du réalisateur italien Nanni Moretti (auteur également, en 1994, d'un chef-d'œuvre d'humour : *Journal intime*).

Dans l'Italie de la crise larvée et du compromis historique, ce film constitua, au printemps 1977, en milieu contestataire, un événement culturel *off* d'une envergure semblable à celle que connut plus tard le livre truculent de Rocco et Antonia sur le gauchisme italien, *Les Porcs avec des ailes*.

Pour la première fois, un long-métrage de fiction tourné en format super-8 par des cinéastes amateurs avait accès à l'écran d'une salle d'art et d'essai romaine. Il était célébré de telle sorte par la critique cinématographique et par le public intellectuel que, gonflé en 16 millimètres, il se voyait distribué dans toute l'Italie et partait même représenter son pays dans d'importants festivals étrangers (La Rochelle, Taormina, San Sebastian notamment).

Âgé de vingt-trois ans, son auteur, Nanni Moretti, en était à sa quatrième réalisation [1] dont il assurait, par ailleurs, la production (le film a coûté la somme dérisoire de 200 000 francs) ainsi que l'interprétation du rôle principal [2].

---

1. Ses trois premiers films *Pâté de bourgeois* (1973), *La Sconfitta* (1974) et *Come Parli Frate* (1975) ont été présentés à Paris au Festival mondial du super-8.

2. Nanni Moretti est un comédien très personnel. Il joue dans un registre aigre-doux, légèrement comique, entre Rufus et Bernard Menez. Dans le film des frères Taviani, *Padre, Padrone,* il incarne le personnage de Cesare, un soldat diplômé qui initie le jeune berger sarde aux plaisirs logiques de la linguistique.

Je suis un autarcique présente le quotidien piteux d'un prétendu intellectuel contestataire, nommé Michele, abandonné en début de récit par son épouse, militante féministe, et contraint de s'occuper de l'éducation de son petit garçon bien plus « adulte » que lui. Refusant de travailler (pour ne pas enrichir les patrons, dit-il, de la plus-value de son labeur), il est généreusement entretenu par ses parents fortunés.

Mobilisé enfin par un de ses amis metteur en scène de « théâtre underground », Michele va vivre toutes les étapes d'une création « dramatique » : discussions pseudo-théoriques se prolongeant au-delà du dégoût ; préparation physique sous forme de marches forcées en montagne ayant le caractère de l'entraînement militaire le plus obstiné (le metteur en scène justifiait cette méthode de préparation par des aphorismes du genre : « Sans muscles pectoraux, il n'existe pas de théâtre d'avant-garde ») ; répétitions-marathons au cours desquelles les idées théâtrales à la mode s'appliquent coûte que coûte (« Je veux un théâtre du geste, du corps ; Bataille en somme, le désir, la folie, la mort... », exige le metteur en scène en délire) ; discussions d'un ésotérisme byzantin avec la critique dramatique ; et, enfin, représentation pitoyable et déceptions en cascade.

Bien entendu, dans ce film, le groupe théâtral est une métaphore d'un groupe politique d'extrême gauche (ou d'un collectif de cinéastes militants). Michele et ses amis y apparaissent avec tous les tics, toute la doxa des contestataires vieillis, nostalgiques de Mai 68. Ils affichent avec assurance des idées toutes faites sur des sujets salonnards : politique et cinéma, sexualité et société, écologie et pouvoirs.

Ils sont agressifs, se plaignent de tout (quoique mollement), citent interminablement l'école de Francfort, lisent des revues porno cachées dans des livres de sémiotique, gardent à portée de main une guitare ou un disque de free-jazz, ou une seringue, ou un joint. Ils sont velléitaires, dorment trop, ne regardent jamais leur gauche tellement ils sont persuadés d'incarner l'extrémité des extrémités, se terrorisent les uns les autres par des surenchères marginalistes, ne se voient pas vieillir, font sans cesse reculer les frontières de l'« embour-geoisement » menaçant, ignorent, radicalement, leur propre conformisme.

Ainsi, Nanni Moretti, mieux que tout autre cinéaste, est parvenu à décrire le fonctionnement en vase clos (« autar-cique » pourrait ici se traduire par autiste) d'un groupuscule politique d'ultra-gauche s'organisant, sur le plan théorique et militaire (la référence aux méthodes de l'*Armée rouge* japo-naise est flagrante dans la séquence de l'entraînement en mon-tagne), en vue d'une action ponctuelle qui, en définitive, se révélera minable.

On remarquera qu'un tel itinéraire fictionnel était déjà celui du *Pigeon* (1958, chef-d'œuvre de Mario Monicelli), référence importante si l'on songe que Moretti s'est en effet proposé d'utiliser les ressources rhétoriques de la *comédie ita-lienne* pour critiquer l'arrogance décrépite des enfants déchus de 68, de ces « *cani sciolti* » (chiens errants) de la faune post-estudiantine romaine.

Leur manque d'humour est précisément le thème comique central du film de Nanni Moretti, qui ironise sur la schizo-phrénie de la contestation en parodiant les pères historiques de l'underground italien : Vasilico Perlini, Carmelo Bene, Marco Bellochio, Marco Ferreri et, surtout, Alberto Moravia (ce qui n'empêcha pas ce dernier d'écrire un texte très élogieux à l'égard du film).

Sans appartenir directement au cinéma militant, ce film singulier en possède de nombreuses caractéristiques (notam-ment son système de production) et, mieux que tout autre, il a su signaler, dans son miroir déformant et sur le ton de la farce, les raisons de l'échec d'un genre.

Voir un film

Par opposition, il faut reconnaître que le cinéma du gau-chisme et les films militants ont rarement su évoquer en images la richesse politique des débats qui s'effectuaient au sein des groupes politisés. Daniel Cohn-Bendit reconnaissait, à ce sujet : « Ce qui est important, c'est que le mouvement révolutionnaire d'aujourd'hui est incapable d'intégrer le cinéma dans sa pratique », et cet échec est d'autant plus grave que, ajoutait-il, « on ne peut pas penser une intervention globale dans la société sans se servir du cinéma[1] ».

Il est heureux que le cinéma militant, devenu d'*intervention*, ait compris qu'il se trouvait dans une impasse et qu'il ait suivi l'exemple de cinéastes comme Jean-Luc Godard, Robert Kramer, Peter Watkins, Jean-Louis Comolli, Jean-Michel Carré, Alain Tanner, Francis Reusser, Chris Marker, Coline Serreau, ou Yann Le Masson. Ces auteurs ont su marquer, avec une nostalgie dépourvue d'amertume, les espoirs conviviaux du gauchisme politique et la conscience sereine de la fin d'une époque. Ils ont réalisé des *œuvres de clôture* où la mémoire affective sait se tresser à la réflexion politique pour lui donner la dimension fragile d'un certain humanisme. C'est dans leurs films, et dans ceux, plus récents, par exemple, de Ken Loach (*Land and Freedom, Carla' Song*), Robert Guédiguian (*Marius et Jeannette, À l'attaque !*) ou Michael Moore (*Roger et moi, The Big One*), et dans leur pratique, que le meilleur de la tradition contestataire et militante se perpétue[2].

Pour expliquer, aussi, l'échec de l'ancien cinéma militant, il convient de noter enfin qu'il avait peu réfléchi (obnubilé par la dénonciation du *pouvoir des autres*) à son propre pouvoir, à celui dont il abuse lorsqu'il impose la vision de ses films à des spectateurs intimidés (politiquement). Il ne semble guère avoir médité sur ce que « voir-un-film » signifie, ni sur ce que cela représente dans certaines conditions.

Voir un film ne relève aucunement, dans des circonstances particulières, du domaine du *rêve* ou de la *rêverie*, comme cela a été largement prétendu. Voir un film est parfois une pratique culturelle *contraignante* qui peut ressembler à une véri-

---

1. Daniel Cohn-Bendit, *Le Grand Bazar* et, plus précisément, le chapitre IV consacré à une réflexion sur le cinéma sous le titre « Johnny Weissmüller », Paris, Belfond, 1975.
2. On pourrait également citer Laurent Cantet et son film *Ressources humaines* (1999).

table *incarcération*. En effet, qu'un film vienne à ennuyer, à agacer, à déplaire, et la salle deviendra bientôt pour le spectateur contraint d'y demeurer (multiples sont les raisons, culturelles, sociales, qui empêchent de quitter la salle : présence de l'auteur qu'on ne veut pas froisser, gravité du sujet dont il ne faut pas donner l'impression de se désolidariser, timidité à déranger ses voisins de rangée) un véritable *cachot*, avec tous les éléments qui caractérisent un enfermement punitif : clôture, obscurité, immobilité, silence, durée.

La projection devient alors, au sens propre, un *supplice*. Il faut noter que le dispositif d'une salle de cinéma repose sur le *renversement* du système panoptique : il ne s'agit plus de « un qui voit tous », mais de « tous qui voient un ». En ce sens, toute salle de cinéma *oblige à voir* et cela peut être douloureux, comme l'a signalé Stanley Kubrick dans *Orange mécanique,* ou même, comme le rappelait Barthes à propos de la langue, proprement fasciste.

En se proposant *autoritairement* comme un discours de contre-idéologie, de contre-propagande, le cinéma militant n'a pas su percevoir, longtemps durant, qu'il s'imposait lui-même comme *discours de pouvoir,* et que donc, à long terme, la crise qui frappe toutes les expressions de pouvoir l'atteindrait fatalement.

Table

Faux-semblants 9

Manipuler les masses 17

Spots publicitaires 33

Les « films-catastrophes », fantaisies pour une crise 61

Kojak et Columbo, gardiens de l'ordre médian 103

Hollywood et la guerre du Vietnam 121

Les westerns italiens : des métaphores politiques 149

Guerre et comédies 163

Le cinéma militant : crise d'un discours de pouvoir 183

DANS LA MÊME COLLECTION

Georges Perec
Espèces d'espaces

Jean-Michel Palmier
Berliner Requiem

Paul Virilio
Vitesse et Politique

Léo Scheer
La société sans maître

Jacques Dreyfus
La ville disciplinaire

Jean Baudrillard
Oublier Foucault

Jean Duvignaud
Lieux et non-lieux

Alain Médam
New York Terminal

Paul Virilio
Défense populaire et luttes écologiques

Jean Baudrillard
De la séduction

Alain Joxe
Le rempart social

Alain Médam
New York Parade

Marc Guillaume
La politique du patrimoine

René Lourau
Autodissolution des avant-gardes

Alain Médam
La cité des noms

Paul Virilio
L'horizon négatif

Paul Virilio
La machine de vision

Félix Guattari
Cartographies schizoanalytiques

Paul Virilio
Esthétique de la disparition

Félix Guattari
Les trois écologies

Jean Baudrillard
La transparence du mal

Jean Baudrillard
La guerre du Golfe n'a pas eu lieu

Paul Virilio
L'écran du désert

Félix Guattari
Chaosmose

Paul Virilio
L'insécurité du territoire

Jean Baudrillard
L'illusion de la fin

Paul Virilio
L'art du moteur

Jean Baudrillard
Le crime parfait

Paul Virilio
La vitesse de libération

Paul Virilio
Un paysage d'événements

Jean Baudrillard
Écran total

Ignacio Ramonet
Géopolitique du chaos

Paul Virilio
La bombe informatique

Ignacio Ramonet
La Tyrannie de la communication

Jean Baudrillard
L'Échange impossible

Paul Virilio
Stratégie de la déception

Paul Virilio
La Procédure silence

Ignacio Ramonet
Propagandes silencieuses

CET OUVRAGE A ÉTÉ ACHEVÉ
D'IMPRIMER POUR LE
COMPTE DES ÉDITIONS GALILÉE
PAR L'IMPRIMERIE FLOCH À
MAYENNE EN OCTOBRE 2000
NUMÉRO D'IMPRESSION : 48998
DÉPÔT LÉGAL : OCTOBRE 2000.
NUMÉRO D'ÉDITION : 558

Code Sodis : S 20 619 5

Imprimé en France